재혼황후

Remarried Empress
재혼 황후
외전
알파타르트 장편소설
해피북스
투유

Remarried Empress

소비에슈 회귀

소비에슈는 걸음을 멈추고 소리가 들려온 쪽으로 고개를 돌렸다. 벽에 걸린 낡은 태피스트리가 커튼 없는 복도 창문으로 바람이 들어올 때마다 흔들리며 소리를 내고 있었다.

사흘에 한 번씩 청소를 한다는데도 말끔한 벽에서는 오래된 돌 냄새가 풍겨왔다. 한기를 느낀 소비에슈는 목덜미의 깃을 위로 세우고 계속해서 걸어갔다. 대대로 황후들이 사용하던 방문을 열자 시녀들이 동시에 인사를 올리던 목소리가 환청처럼 끊어졌다. 시녀들이 화사한 옷을 차려입고 즐겁게 속삭이던 붉은 벨벳 의자 위는 텅 비어 있었다.

소비에슈는 응접실 안쪽으로 난 문으로 다가가 손잡이를 붙잡았다. 잠시 주저하던 그는 손잡이를 힘주어 돌렸다. 매끄럽게 손잡이가 돌아가며 문이 열리자 금박 테두리를 두른 화려하고 넓은 공간이 나타났다. 소비에슈는 햇빛이 닿지 않는 위치에 걸어둔 커다란 액자 앞으로 익숙하게 걸어갔다. 한쪽 벽면의 5분의 1을 채운 거대한 초상화는 이 방 안의 유일한 가구였다.

"나 왔어."

소비에슈는 초상화 앞에 서서 평소처럼 인사했다. 여전히 대답은 돌아오지 않았다. 소비에슈는 그림 속 나비에를 바라보다가 다시 한번 더 중얼거렸다.

"나 왔어. 나비에."

이번에도 대답은 없었다. 익숙한 침묵이었기에 그는 절망하는 대신 오늘 하루의 일과를 조용한 목소리로 들려주기 시작했다.

"카를 후작이 애지중지 기른 수염을 카를 후작이 애지중지하는 손주가 잘라버렸어, 나비에. 카를 후작이 화도 못 내고 씩씩거리는 모습을 당신도 봤어야 하는데."

느긋하게 이어지던 하루의 소소한 일과는 문 뒤의 인기척을 느끼자 끊어졌다. 소비에슈는 문을 열었다. 하얀 수염이 바짝 짧아진 카를 후작이 모자를 안고 서 있었다.

"무슨 일인가?"

카를 후작은 힐긋 나비에의 초상화를 쳐다보며 말했다.

"저녁 식사 드실 시간입니다, 폐하."

"벌써 그렇게 되었나?"

"예. 얼른 가시지요."

소비에슈는 품에서 회중시계를 꺼내 시간을 확인했다. 조금 전에 도착한 것 같은데. 벌써 네 시간이 훌쩍 지나가 있었다.

"그래. 가지."

카를 후작은 소비에슈가 시계를 품에 넣는 걸 바라보다가 물었다.

"아카데미 전 학장이 폐하께 유품으로 남긴 시계로군요. 계속 들고 다니시는 겁니까?"

"그이와도 꽤 인연이 깊지. 나이가 드니 인연 하나하나가 소중하게 여겨지는군."

"학장이 기뻐하겠군요."

소비에슈가 가볍게 웃음을 터트렸다.

오래된 군신은 두런두런 이야기를 나누며 소비에슈의 침실까지 함께 걸어갔다. 침실 안 원형 테이블 위에는 대여섯 개의 은그릇들이 커다란 뚜껑에 덮여 있었다. 뚜껑이 덮여 있는데도 안에서는 매콤한 향이 흘러나왔다. 소비에슈가 탁자 앞에 앉자 카를 후작도 맞은편에 앉았다.

"자네 요리사가 내 탓을 할지도 모르겠어. 왜 황궁 주방장을 두고서 매일같이 자기가 요리를 하고 있나 모르겠다고 말이야."

"그럴 리가요. 자기 솜씨가 황궁 주방장보다 뛰어난 반증이라고 어찌나 거들먹거리는지 모릅니다."

소비에슈가 웃으면서 고개를 설레설레 저었다.

여기에 몇 잔의 포도주를 곁들이자 순식간에 방 안은 훈기로 차올랐다. 하지만 웃으며 대화하는 도중에도 소비에슈의 눈동자에 깃든 어두운 기색은 쉬이 사라지지 않았다. 카를 후작은 이를 모른 척 식사했으나 식사가 끝날 무렵 약간 취기가 오르자, 저도 모르게 권하고 말았다.

"폐하. 서궁에는 그만 가시는 게 좋지 않을까요?"

소비에슈의 입가에 씁쓰레한 미소가 어렸다.

"자네가 그 얘길 요즘 통 안 한다 했지."

"죄송합니다."

"슬슬 그만 말할 때도 되지 않았나?"

"하오나 폐하. 심려됩니다. 노력해서 바꿀 수 있는 부분이라면 폐하께서 하루 내내 그곳에 계셔도 말리지 않을 겁니다. 하지만 과거는 바꿀 수가 없으니 미련을 끊어야 합니다."

"……."

"이제 좋은 것만 보고 좋은 생각만 하며 지내셔야 할 나이신데, 그 차가운 성에 하루에 서너 시간씩 홀로 있으시다니요."

소비에슈는 포도주병 하나를 더 따서 잔에 조금 부으며 무겁게 입을 열었다.

"가끔은 생각한다. 황태자이던 시절로 돌아갔으면 좋겠다고 말이야. 가장 나비에와 사이가 좋던 시절이거든."

"폐하……."

"다음에는 생각하지. 아니, 즉위 초만 되어도 좋을 것 같다고. 그 시절엔 둘 다 아는 게 적으니 서로를 의지했어."

"……."

"나중에는 생각해. 아니다, 라스타를 구하기 직전으로만 돌아가도 좋겠다. 이후엔 또 생각해. 아니, 라스타를 구한 후로라도 돌아갔으면 좋겠다. 그러다 나중엔 절망적으로 생각하는 거야. 이혼 직전이라도 돌아가고 싶다고. 나비에가 내 아내인 시절의 가장 끄트

머리라도 돌아갈 수 있다면 좋겠다고."

카를 후작은 슬픈 눈으로 소비에슈의 하소연을 듣다가 너털웃음을 터트렸다.

"이혼 직전이라면 돌아가도 너무 힘들지 않을까요?"

"그렇지."

소비에슈도 따라 웃었다.

"하지만 나비에를 되찾을 수 있다면 힘들어도 좋아. 그 시절로 돌아갈 수 있다면 어떤 고생이라도 기쁘게 맞이할 수 있을 것 같군."

카를 후작은 자신의 잔을 들어 소비에슈가 든 포도주잔에 가볍게 부딪히며 웃었다.

"만약 그런 일이 일어난다면 이번엔 절대 나비에 님을 놓지 않으시길 바랍니다."

소비에슈는 몇 잔 더 마시고 싶었으나 카를 후작은 오랜 시간이 지났는데도 소비에슈가 술을 마시고 창밖으로 떨어진 일을 잊지 못했는지 철저하게 반대했다.

"안 됩니다. 폐하께선 술에 취하면 환상을 자주 보지 않으십니까. 오늘은 이 정도만 마시고 내일이나 모레쯤 다시 드시지요."

아직 취기가 오지 않았으나 카를 후작이 강하게 반대하자 소비에슈는 두 손을 들고 항복했다.

"알았네. 알았어. 그만 잔소리하게."

카를 후작이 하인들을 시켜 방 안에 차려진 음식을 모두 치우고 떠나자 소비에슈는 빠르게 씻은 뒤 침대에 누웠다. 침대 주위에 두른 천을 풀어 헤친 소비에슈는 반투명한 장막 너머로 나비에가 그를 부르는 상상을 하며 천천히 눈을 감았다.

그러고 얼마나 잠들어 있었을까. 눈을 뜬 소비에슈는 자신이 헛것을 본다고 생각했다.

'나비에?'

바로 앞에 나비에가 서 있던 것이다. 서궁에서 지낼 때 자주 입던 양식의 드레스 차림을 하고 머리카락을 단정하게 틀어 올린 나비에는 입술을 조금도 떨어지지 않게 꾹 닫고 선 모습이었다. 그녀가 기분이 좋지 않을 때 나오는 얼굴이다.

소비에슈는 심장이 쿵 떨어지는 느낌을 받았다. 이토록 현실적인 나비에의 환상이라니. 나비에가 얼음 같은 시선으로 그를 쳐다보고 있지 않았더라면 소비에슈는 '나비에!' 하고 외치면서 그녀에게 두 팔을 내밀었을지도 몰랐다.

꿈에도 그리던 나비에이지만 표정이 너무 서늘했다. 게다가 대체 여긴 어디란 말인가. 소비에슈는 의아해서 옆을 보았다가 두 번째로 심장이 떨어질 뻔했다. 대신관이 노한 표정으로 중앙 단상에 서 있었다.

소비에슈는 황급히 뒤돌아보았다. 그의 뒤에는 우아하고 화려한 흰색 드레스를 입은 라스타가 말끔하고 깨끗한 모습으로 서 있었다. 라스타는 긴장한 듯 입술을 씹었다 풀기를 반복하고 있었다. 그러다 소비에슈와 눈이 마주치자 조금 부끄러운 듯 얼굴이 발개져서 웃었다. 소비에슈를 향해 악담을 퍼붓던 마지막 라스타의 모습과 정반대였다.

소비에슈는 다시 고개를 돌려 그들과 거리를 두고 선 사람들을 보았다. 그의 측근들, 나비에의 측근들……. 나비에의 측근들은 하나같이 표정이 어둡고 분노에 가득 차 있었다. 파르앙 후작은 당장이라도 이곳으로 뛰쳐나올 것 같은 모습이었다. 나비에의 부모님은 눈가에 물기가 어려 있었다. 그의 측근들도 표정이 좋지 않기는 마찬가지였다. 이곳에서 설레하고 있는 건 라스타뿐이었다.

소비에슈는 연이어 주위를, 천장과 바닥을, 그리고 나비에와 대신관, 라스타를 번갈아 보다가 고개를 저었다.

'지금'이 이혼 당일이라는 건 어렵지 않게 알아볼 수 있었다. 그는 몇백 번이나 이 장면을 악몽으로 반복해 꾸었다. 때로 그는 이 자리에 서 있기도 했고, 멀리 구경꾼들 틈에 서 있기도 했고, 유령처럼 아무도 그를 보지 못하는데 홀로 뛰어다니기도 했다. 하지만 그 어떤 꿈도 이 정도로 현실적이진 않았다.

'공기가 다르다.'

아무리 사실적인 꿈이어도 특유의 아릿한 느낌이 있기 마련이었다. 그러나 이곳의 분위기는 날카로웠고 무거웠고 음울했다. 마치 실제 이혼하던 그날처럼.

그때였다.

찰칵. 그의 심장 부근에서 시계 초침 같은 소리가 들려왔다. 소비에슈는 재킷 안쪽에 손을 넣었다. 단단하고 동그스름한 것이 손에 잡혔다. 그의 회중시계였다. 시계를 꺼낸 소비에슈는 그 시계가 아카데미 전 학장에게 유품으로 받은 회중시계란 걸 깨달았다. 그가 '현실'에서 가지고 다니는 그 시계 말이다. 그 시계가 그의 과거 꿈속에 있는 것이다. 게다가 초침 소리는 계속해서 희미하게 들려오는데, 시곗바늘은 조금도 움직이지 않고 멈춰 있었다.

'이게 대체……?'

의아해하던 소비에슈는 나비에의 눈빛을 느끼고서 시계를 도로 집어넣었다. 의연하게 입술을 꾹 닫고 있던 나비에의 눈길에 실망과 경멸의 감정이 깃들어 있었다. 그가 이 자리에서 시계를 꺼내 보자 빨리 이혼을 해치우고 싶다고 오해한 듯했다.

'현실? 아니, 하지만 현실일 수가 없는데. 그렇지만 나비에의 저 차가운 반응이나 이 분위기, 이 공기…… 모든 게 현실 같다.'

혼란에 빠진 소비에슈의 귓가로 엄숙하고 무거운 목소리가 들려왔다.

"나비에 황후. 정말로 이 이혼 서류에 아무런 이의 없이 동의하시는 겁니까?"

대신관의 목소리였다. 소비에슈는 그 말을 듣자마자 심장이 세 번째로 철렁했다. 대신관의 저 말은 두 번째 질문이었다. 이미 한 번 나비에에게 동의의 말을 들은 뒤, 대신관이 나비에가 받아들이지 않길 바라며 재차 물어본 그 질문이었다.

거기에 나비에가 입술을 여는 순간. 소비에슈는 다급히 외쳤다.

"동의하지 않습니다."

이게 현실이든 현실적인 꿈이든, 소비에슈는 이 이혼을 되풀이할 수는 없었다. 이혼을 막는 건 그가 늘 꿈꾸던 일이었다. 꿈이라 해도 답은 정해져 있었다.

소비에슈의 난데없는 대답에 대신관은 눈썹을 치켜올리고서 그를 쳐다보다가 황당해하는 목소리로 말했다.

"소비에슈 황제. 나는 방금 나비에 황후에게 물어보았습니다."

"압니다."

소비에슈는 자신이 제대로 대답했다는 걸 알린 뒤, 혹시라도 대신관이 또 나비에에게 이혼 이야기를 꺼낼까 봐 거듭 말했다.

"하지만 난 동의하지 않습니다."

웅성거리는 소리가 들불처럼 번져나갔다. 모인 사람들이 눈이 동그래져서 소비에슈를 쳐다보았다. 훌쩍이던 나비에의 추종자들 역시 마찬가지였다. 심지어 꿋꿋하고 굳건한 모습으로 이 상황을 견디던 나비에조차 좀 놀란 표정이었다. 소비에슈는 나비에가 이혼을 승인하고 재혼을 요청한 다음, 깜짝 등장하기 위해 대기 중인 인물을 노려보았다.

대신관이 잠시 뜸을 들이다가 물었다.

"소비에슈 황제. 그 말은 소비에슈 황제는 자신이 신청한 이혼을 자신이 반대한단 말입니까?"

"네, 대신관. 난 황후와 이혼할 수 없습니다. 이 이혼에 동의하지 못합니다."

빠르게 말한 소비에슈는 대신관 앞으로 다가가 간절하게 물었다.

"아직 대신관이 이혼을 승인하지 않았으니 우리는 이혼한 게 아닙니다. 그렇지요?"

대신관은 말을 잇지 못하고 소비에슈를 쳐다보다가 물었다.

"소비에슈 황제. 이 이혼은 소비에슈 황제가 신청한 겁니다. 혹시 잊어버렸습니까?"

몇몇 이들이 덩달아 작게 고개를 끄덕였다. 지금 대신관의 질문은 이곳에 모인 대부분의 사람이 묻고 싶은 질문인 듯했다.

소비에슈는 이게 꿈이라면 제법 현실적인 꿈이라고 생각했다. 보통의 꿈이라면 이혼을 거부하자마자 바로 축복의 폭죽이 터져 나왔겠으나, 그런 일은 벌어지지 않았다.

소비에슈는 둘러대지 않고 바로 고개를 끄덕였다.

"내가 신청한 걸 기억합니다, 대신관. 하지만 성급하게 잘못된 결정을 내렸단 걸 깨달았습니다. 이혼 요청을 무르겠습니다."

나비에가 입술을 달싹였다. 하고 싶은 말이 있어 보였다.

'인제 와서 무슨 짓이냐고 묻고 싶은 거겠지. 그녀를 데려가기 위해 하인리 황제가 기다리고 있을 테니까. 아니. 이 시절엔 아직 왕이었던가.'

소비에슈는 자꾸만 모습을 감추고 선 하인리 쪽으로 향하려는 시선을 애써 붙잡고 나비에와 눈을 맞추고서 말했다.

"이혼 요청을 무릅니다. 대신관. 이혼이 받아들여지기 전에 물렀으니 이 건은 진행되지 않는 게 맞겠지요?"

대신관의 작은 기침 소리를 듣고서야 소비에슈는 고개를 돌려 노신관을 쳐다보았다. 이미 이 시절에도 나이가 많던 노신관은 징

정하게 서서 소비에슈를 불만스럽게 바라보고 있었다.

하지만 소비에슈는 대신관이 자신을 편들리라는 걸 확신했다. 대신관은 나비에와 소비에슈의 이혼을 막고 싶어 했다. 또한, 대신관은 나비에가 하인리 왕을 재혼 상대로 준비해둔 걸 몰랐다. 당연히 대신관은 나비에가 이혼하면 가엾은 처지가 될 거라고 여길 테니 나비에를 위해서도 그를 편들 것이었다.

예상대로 대신관은 못마땅한 표정으로 재차 그에게 물어보았다.

"이혼은 이렇게 장난식으로 홧김에 청했다가 하루 만에 취소하고 할 일이 아닙니다. 이번에 이혼 신청을 무르면 다음엔 와달라고 재상을 보내도 안 올 겁니다. 소비에슈 황제. 정말로 취소하는 게 맞습니까?"

"맞습니다."

소비에슈는 혹시라도 나비에가 먼저 대답할까 봐 빠르게 대답했다. 맞은편에서 나비에의 헛웃음 소리가 퍼졌다. 소비에슈는 그조차도 좋아서 나비에를 바라보며 쑥스럽게 미소 지었다. 나비에는 그의 미소를 보고서 표정이 더욱 서늘해졌으나 소비에슈는 이렇게라도 그녀를 보니 좋았다.

대신관은 그런 모습을 단상 위에서 바라보다가 탕탕 소리가 나도록 단상 표면을 두드리며 선언했다.

"이혼이 진행되기 전 요청자인 소비에슈 황제가 취소한바, 이번 이혼 건은 없던 일로 무르겠습니다."

공식적인 이혼 절차가 취소되자 대신관은 잔소리를 퍼붓고 싶은지 소비에슈 쪽으로 다가오려 했다. 하지만 대신관이 단상에서 다 내려오기도 전에 나비에가 한발 앞서 그에게 다가와 작은 목소리로 말했다.

"잠시 얘기해요."

"그러지."

소비에슈는 홀린 기분으로 나비에를 따라 걸어갔다. 대신관은 자신도 하고 싶은 말이 한가득한 얼굴이었으나 나비에와 대화하는 게 먼저라 여기는지 도로 단상으로 올라갔다.

소비에슈는 나비에의 뒷모습을 보고 따라 걸어가며 익숙한 냄새가 바람결에 흘러오기를 바랐다. 하지만 이혼 날이기 때문인지 바람이 불어와도 아무 향도 느껴지지 않았다. 나비에는 평소 즐겨 하던 향수를 조금도 뿌리지 않은 듯했다.

그러나 창문 너머로 불어오는 바람 냄새만으로도 소비에슈는 벅차오르는 기분을 느꼈다. 지금까지는 꿈속에서 이 부분까지 온 적이 없었다. 그런데 이혼 후 나비에와 대화하는 부분까지 겪고 있다니!

사람들이 거의 다니지 않는 복도의 교차로 지점에 도달하자, 나비에는 그곳의 움푹 파인 지점으로 들어가 섰다. 소비에슈가 따라 들어가자, 나비에는 사람들이 어디로 오든 말을 멈출 수 있도록 자리를 잡고서 쌀쌀맞은 목소리로 물었다.

"이게 무슨 짓이지요?"

"뭐가 말이오."

"이혼이 장난 같나요?"

"장난이 아니니 그리 급하게 말린 게 아니겠소."

"폐하께선 장난으로 여기시는 것 같은데요."

"절대로 아니오."

나비에의 눈 속에서 불꽃 같은 게 이글거렸다. 소비에슈는 그조차 좋아서 그 분노를 넋을 놓고 바라보았다. 나비에는 소비에슈의 눈을 계속해서 노려보다가 물었다.

"제가 폐하의 이혼 이야기를 듣고 얼마나 힘들었는지, 여러 가지로 얼마나 고민하고 힘겨웠는지 폐하는 모르시겠지요."

"아오."

"모릅니다. 그러니 쉽게 이혼을 요청하고 쉽게 이혼을 거두어들이는 거겠지요."

"아오."

소비에슈는 씁쓸하게 웃고서 오해를 사지 않기 위해 애써 무겁게 말했다.

"정말로 잘 알고 있소. 황후가 생각하는 것보다 훨씬 더."

"!"

"인생의 중요한 결정이지. 절대로 쉽게 생각한 게 아니오. 우리의 이혼도, 황후도, 어느 것 하나 쉽지 않으리란 걸 아오. 그래서 되돌리는 거요. 내가 잘못되었다는 걸 알았으니까."

"그 말을 제가 믿을 것 같나요?"

"내 자존심을 챙기기 위해 이혼을 계속하지 않을 거요. 그만두고 싶은 게 있다면 체면을 벗어던져서라도 그만두어야 한단 걸 알아버렸거든."

나비에는 조금도 화가 풀리지 않은 기색이었다. 반듯한 이마에 들어간 힘도 꽉 다물린 입술도 여전히 그대로였다. 그 표정을 보고 있자니, 소비에슈는 지금이 더욱 현실처럼 여겨졌다. 하지만 현실일 리가 없다는 걸 알기에 소비에슈는 나비에를 만나게 되면 하고 싶던 말을 마음껏 다 해보기로 하고서 말했다.

"내 아내는 황후뿐이오. 황후의 남편도 나뿐이길 바라오. 우리는 이혼하지 않을 거요."

나비에는 입을 벌리고서 그를 경멸하듯 바라보았다.

"그렇게 봐도…… 내 마음은 변하지 않소."

이혼을 진행하기 위해 모인 이들이 흩어졌고, 대신관은 두 번 다시 안 올 거라고 신경질을 내면서 떠났다. 카를 후작은 동궁 침실로 돌아가는 소비에슈를 따라가며 연거푸 말했다.

"잘 생각하셨습니다, 폐하. 정말로 잘 생각하셨습니다."

소비에슈는 몇 시간 전 자신과 술을 마셨던 카를 후작의 나이 든 얼굴과 지금의 활력 넘치는 모습을 비교하자 가슴이 좀 아렸다. 카를 후작까지 이렇게 현실감 있는 걸 보고 있으니 정말로 과거로 돌아온 기분이 들었다.

"카를 후작."

"네, 폐하."

"경은 늘 짐의 곁에 있어주었지. 모두가 떠났을 때도 언제나."

"예?"

"고맙네. ……언제나 고마워하고 있어."

카를 후작은 이혼이 깨진 걸 감격해하다가 난데없는 소비에슈의 인사치레에 어떻게 반응해야 할지 모르겠단 얼굴이 되었다. 소비에슈는 웃으면서 그의 등을 두드리고서 다시 복도를 걸어갔다.

침실로 돌아가 평소 입고 다니는 복장으로 갈아입은 소비에슈는 오늘 처리해야 할 업무에 관해 카를 후작에게 물어보았다. 카를 후작은 업무 관련해서는 자신보다 더 철두철미한 소비에슈가 이런 기초적인 걸 묻자 의아해하면서도 대답했다.

"오늘 일을 대비해서 급한 일은 모두 미리 처리해두셨지 않습니까, 폐하. 예상하지 못한 사건이 터지지 않는 한 사나흘은 여유가 있습니다."

"그런가."

과거라지만 이렇게 소소한 부분은 기억나지 않았다. 하지만 일 처리가 다 되어 있다면 다행이었다. 여기가 꿈속이라고 하더라도 이처럼 현실적이라면 소비에슈는 일을 완전히 뒤로 미루어두고 제멋대로 굴 수 없었다. 그러나 급한 일은 이미 다 마무리가 되었다고 하자, 소비에슈는 편한 마음으로 서궁으로 건너갔다. 소비에슈가 응접실 안으로 들어서자 나비에의 시녀들이 붉은 벨벳 의자에 모여 앉아 있다가 놀라서 인사했다.

"폐하께 인사 올립니다."

몇 시간 전, 이 장소에 홀로 들어왔을 때 환상처럼 본 모습이었다. 역시 이건 꿈이구나. 소비에슈는 자신이 나비에의 방에서 본 것들이 인상에 깊게 남아서 이런 꿈을 꾸는 게 확실하다고 생각했다.

"폐하? 왜 그러세요?"

소비에슈가 들어와서 우두커니 서 있기만 하자 로라가 눈을 동그랗게 뜨고서 물어보았다. 소비에슈는 정신을 차리고서 닫힌 침실 문을 눈으로 가리키며 물었다.

"황후는 어떻지?"

엘리자 백작 부인은 무례해 보이지 않을 정도로만 쌀쌀맞게 대답했다.

"힘들어하고 계십니다."

로라는 눈을 토끼처럼 뜨고서 엘리자 백작 부인을 쳐다보았다. 엘리자 백작 부인이 과장해서 말했거나, 비밀을 얘기해버린 눈치였다.

소비에슈는 쓸쓸한 표정을 가리지 않고서 말했다.

"황후에게 내가 이야기하고 싶어 한다고 전하게."

로라는 소비에슈와 엘리자 백작 부인을 번갈아 보다가 슬그머니 방 안으로 들어갔다. 잠시 뒤. 로라가 밖으로 나와서 말했다.

"황후 폐하께서 들어오라고 하세요, 폐하."

소비에슈는 나비에의 침실 문 앞에 서서 문고리를 쥐었다. 문고리에서부터 느껴지는 훈기에 소비에슈는 생각할 겨를도 없이 눈물이 흘러나왔다.

"폐하 우세요?"

로라가 놀라 묻다가 등을 가볍게 맞는 소리가 옆에서 들려왔다.

소비에슈는 고개를 젓고서 문고리를 돌렸다. 방문을 열자 액자만 하나 걸려 있던 방이 아니라 나비에의 가구들이 우아하게 배치된 사용감 있는 내부가 드러났다. 그가 늘 말을 걸던 액자는 없었다. 하지만 방의 중앙에는 그 액자에 들어가 있던 그의 나비에가 곧은 자세로 서서 냉랭한 시선으로 그를 바라보고 있었다. 소비에슈는 눈이 마주치자마자 나비에에게 다가가서 참지 못하고 말하고 말았다.

"보고 싶었소. 항상 보고 싶었소. 늘 황후가 보고 싶어서 미치는 줄 알았소."

나비에의 눈동자가 평소보다 조금 더 커다래졌다. 얼마나 놀라 하던지 그녀는 뒤로 반보 물러나기까지 했다. 하지만 빠르게 진정한 나비에는 가라앉은 목소리로 바로 대꾸했다.

"그렇군요. 이미 미치신 것 같습니다."

소비에슈는 손수건을 꺼내 눈가를 닦으며 인정했다.

"그럴지도 모르지. 하지만 한두 번도 아닌걸."

"!"

"이혼하지 않아서 내가 얼마나 다행이라 여기고 있는지, 황후. 그대는 모를 거요."

소비에슈는 꿈에서 깨어나더라도 후회하지 않기 위해 나비에가 차갑게 쏘아보더라도 지지 않고 말을 이어갔다.

"한번 이혼하고 나면 두 번 다시 그대를 찾을 수 없단 걸 아오. 그래서 그 자리에서 이혼을 반대할 수밖에 없었어. 대신들이 나를

엉망이라 여기겠지. 대신관도 내게 화가 났겠지. 그래도 이혼을 막아서 좋소. 아직 그대가 나의 아내라 좋소."

나비에는 그런 소비에슈를 숨도 쉬지 않는 듯 바라보다가 물었다.

"폐하는…… 좋으십니까?"

"좋소."

"폐하가 지금 마음을 바꾸셨다고 해서 폐하께서 나와 이혼하기 위해 한 그 모든 일이 사라지는 건 아닙니다."

"!"

"이번에는 이혼을 무르셨지요. 하지만 다음에는요? 다음에 또 이혼하자고 나오실지 누가 아나요?"

"절대 그런 일 없을 거요."

"설령 그렇다 하더라도 폐하. 저는 오늘 일이 내일 찾아올지, 모레 찾아올지, 평생 신경 쓰며 살아가야 할 겁니다."

"나비에……."

"저와 제 부모님, 절 도와주는 모든 이들이 폐하의 그 변덕 같은 이혼 요구에 휘말렸다고 생각하니 화가 나는군요. 차라리 정말로 이혼을 계속 진행했다면 라스타 양을 향한 폐하의 그 애정이 진실이라 내가 거기에 피해를 보는구나, 생각이라도 했을 겁니다."

소비에슈는 나비에의 손을 잡고 싶어서 손을 뻗었으나 나비에는 손을 주지 않았다. 소비에슈는 그래도 허공을 향해 손을 뻗은 채 말했다.

"내가 사랑하는 건 황후요. ……나비에."

나비에는 조금의 여지도 주지 않고 돌아섰다.

"제가 원하는 건 아닙니다. 폐하가 원하는 게 사랑놀이라면 라스타 양과 계속하세요. 전 그러고 싶지 않으니까요."

소비에슈는 나비에와 함께 더 머물면서 그녀의 목소리를 듣고 하나하나 튀어나오는 반응을 지켜보고 싶었다. 그러나 그가 간절하게 이야기하면 이야기할수록 나비에의 표정은 점점 지쳐갔다. 그걸 본 소비에슈는 덩달아 열기를 잃어갔다.

'오늘이 이혼 날이라면…… 그렇군. 나비에는 이날을 대비하느라 완전히 지쳤겠지.'

소비에슈는 자신과 달리 나비에는 이혼 사건을 계속해서 마주하고 있었단 걸 떠올리고서 입을 다물었다. 이게 꿈이라 해도 나비에는 꿈속의 인물일 테니 꿈속의 시간에 따라 고통을 느끼고 있을 터였다. 지금의 나비에에겐 그가 무어라 말하든 아무 소용이 없었다.

"미안하군. 황후도 쉬고 싶을 텐데."

"폐하께서도 쉬시지요."

"그러겠소."

소비에슈는 결국 더 대화하지 못하고 그 자리를 떠났다. 그래도 나비에와 대화를 조금 나누었고 이혼도 막아냈다. 일어나면 허무함만 남을 꿈이라 하더라도 조금이나마 성과를 거둔 게 기뻤다.

"벌써 가세요? 황후 폐하랑 같이 안 있어주시구요?"

소비에슈가 응접실 밖으로 나가자 로라가 용기를 내어 다가와 물었다. 다른 시녀들이 눈이 동그래져서 입을 뻐끔거렸으나 로라는 소비에슈를 똑바로 바라보았다.

"황후가 지금은 날 보고 싶어 하지 않아서."

소비에슈의 말에 시녀들은 더욱 기겁한 표정들이 되었다. 소비에슈는 로라에게 부탁했다.

"황후가 많이 힘들었겠지. 너희가 황후를 잘 보살피거라."

시녀들은 소비에슈가 진짜로 미친 건 아닌가 의심스러운 듯했다.

아무리 좋은 말을 해도 역효과만 날 상황이라, 소비에슈는 얼른 그 자리를 떠나 서궁 계단을 내려갔다. 그러고서 회랑을 따라 동궁으로 걸어가 침실에 들어가려 할 때였다. 문가에 다가가기도 전에 흐느끼는 울음소리가 먼저 들려왔다. 가까이 가보니 라스타가 문 앞에 서서 커다란 눈물을 방울방울 떨어뜨리며 울고 있었다.

"라스타?"

소비에슈는 낯설어하며 다가갔다. 후반부에는 라스타와 서로 날 선 말을 던져댔기 때문일까. 그녀의 서러워하는 표정이나 울먹이는 목소리가 생경했다. 한때는 내내 이런 모습을 보았으면서도.

라스타는 소비에슈가 곁으로 올 때까지 서 있다가 그가 가까워지자 힘없는 목소리로 물었다.

"폐하. 어떻게 라스타에게 이러실 수 있으세요?"

"이혼 말이냐."

"네! 라스타가 황후가 될 거라고 하셨잖아요. 그런데 갑자기 그

자리에서…….”

라스타의 커다란 눈에 눈물이 고이더니 순식간에 뚝뚝 볼을 타고 흘러내렸다.

“라스타는 사람들 앞에서 바보가 되어버렸어요.”

라스타의 모습은 가련하고 처연해 보였다.

소비에슈는 한숨을 내쉬었다. 지금 라스타가 가엾어 보이기 때문이 아니었다. 소비에슈는 라스타와 자신의 사이가 좋지 못한 종말을 맞이한 걸 알고 있지만, 별개로 라스타에 대해 죄책감과 동정심을 가지고 있었다.

게다가 지금 라스타가 품고 있는 건 평생 그의 가슴에 무겁게 남은 딸 글로리엠이었다. 이왕 현실감 넘치는 꿈을 꿀 거라면 라스타를 만나기 전 시점이면 좋았을걸. 하지만 이미 이 시간대인 이상 소비에슈는 라스타에게 무작정 차갑게 말할 수가 없었다.

“내 탓이다. 내가 아이가 생겼다는 게 너무 기뻐서 제대로 생각해보지 못하고 일을 진행했다. 네게도 미안하게 되었구나.”

“라스타는 완전히 바보가 됐어요……. 라스타는 웃음거리가 되었다구요, 폐하.”

“이 일은 명백하게 내 잘못이다. 내가 들떠서 혼자 바보 같은 짓을 한 거니 네가 속상할 필요 없다.”

라스타는 다가와서 소비에슈의 소매를 잡고 슬픈 눈으로 올려다보았다.

“그러면 폐하의 약속은 어떻게 되는 건가요? 황후 자리랑 우리 아기는…….”

"황후는 바뀌지 않을 거다."

"그러면 우리 아기는 어떻게 되는 거예요? 폐하, 우리 아기요."

라스타는 고통스러운 눈으로 소비에슈를 바라보며 자신의 배를 감쌌다. 소비에슈는 그래도 단호하게 선을 그었다.

"어차피 기한을 둔 약속 아니냐."

소비에슈는 자신이 라스타를 황후로 올릴 때 내건 기한이 1년이었음을 내세웠다. 라스타는 그 말에 눈동자가 흔들리더니 돌아서서 달려가버렸다. 소비에슈는 베르디 자작 부인을 불러서 라스타를 위로하라고 지시할까 생각했다. 하지만 곧 그러지 않기로 하고서 침실로 들어갔다. 이건 현실감 있는 꿈이었다. 언제 깰지 모르는 꿈이니 나비에와의 일에만 몰두하고 싶었다.

그런데 소비에슈가 침실에 돌아와서 옛날 인테리어를 그리운 눈으로 이리저리 살필 때였다. 30분 정도 지났을 무렵. 카를 후작이 깔끔하게 정리된 서류 묶음을 들고 나타나 소비에슈에게 건넸다.

"뭔가?"

소비에슈는 의아해서 물었다. 사나흘치 업무는 미리 처리해두었다고 하지 않았던가?

카를 후작은 미안해하는 얼굴로 대답했다.

"죄송합니다, 폐하. 다른 급한 안건이 올라와서요. 몇 건만 확인해주시면 됩니다."

참으로 현실적인 꿈이구나. 소비에슈는 혀를 내두르면서도 카를 후작이 건넨 서류를 살폈다. 꿈이니 일하지 않아도 될 거란 생각은 들었으나, 어린 시절부터 철저하게 교육받은 터라 자마 일서리반은 팽개칠 수가 없었다.

일 처리를 끝내고 나니 세 시간이 훌쩍 지나가 있었다. 몇 건만 확인해달라던 카를 후작은 소비에슈가 건네는 서류를 보면서 눈을 휘둥그렇게 뜨며 말했다.

"속도가 더 빨라지셨습니다, 폐하."

"그런가."

"예. 이게 어찌 된 일입니까?"

카를 후작은 신기한지 고개를 연신 갸웃거렸다.

소비에슈는 속으로 웃었다. 카를 후작이 놀랄 만했다. 소비에슈는 이때도 업무를 능숙하게 보았으나 지금은 그보다 훨씬 경험이 많았다. 하지만 이런 점까지 반영된다니. 꿈이 현실적이다 못해 소름이 돋을 정도 아닌가.

'혹시 꿈이 아니라 현실이라면…….'

소비에슈는 잠깐 희망을 품어보다가 체념하고서 고개를 저었다. 꿈을 꿀 때마다 이게 현실이길 바랐으나 한 번도 그게 실현된 적은 없었다. 이게 현실이기를 강하게 바랄수록 깨어났을 때 외로운 현실을 마주하기 더욱 괴로울 터. 여기가 꿈이란 걸 계속해서 스스로에게 상기시켜야 했다.

그 생각을 하자 소비에슈는 지금 이렇게 시간을 허비할 때가 아니란 생각이 들었다. 소비에슈는 홀로 저녁 식사를 마친 뒤, 방 안을 서성거리면서 억지로 시간을 보내다가 결국 밤에 다시 서궁으로 찾아갔다. 아까는 나비에가 혼자 있고 싶어 했지만 몇 시간이 지났으니 그녀의 마음이 바뀌었을지도 몰랐다.

"죄송합니다, 폐하. 황후 폐하께서는 이미 잠자리에 드셨답니다."

그러나 나비에의 시녀는 소비에슈의 방문을 전하겠다며 침실 안으로 들어가더니 3분 뒤쯤 나와 이렇게 말했다. 소비에슈는 나비에가 그를 거부했다는 걸 알아차렸다. 만약 나비에가 진짜로 잠들었다면 시녀는 허락을 받으러 안으로 들어가지도 않았을 것이다.

"그래. 그러면 내일 오지."

하지만 소비에슈는 방문을 억지로 열게 할 수 없었다. 상대가 꿈속의 나비에라 할지라도 미움받는 건 원하지 않았다. 그러나 소비에슈는 돌아가면서도 혹시라도 나비에가 마음을 바꾸어서 그를 부를까 봐 최대한 느리게 계단을 내려갔다. 나비에는 소비에슈가 계단을 다 내려가도록 부르지 않았지만, 소비에슈는 계단을 다 내려가서도 동궁으로 떠나지 못했다. 나비에가 지금이라도 마음을 바꿀 것 같았다.

소비에슈는 그런 생각에 계속해서 뒤를 돌아보았으나 아무도 자신을 따라오지 않자 창문 밑으로 걸어가보았다. 창문 아래에서 나비에의 방 안이 보이는 건 아니었다. 보이는 거라곤 커튼 사이로 희미하게 흘러나오는 빛뿐이다.

하지만 소비에슈는 그 빛을 보자 머리가 완전히 하얗게 비었다.

현실에서 소비에슈가 저 방을 올려다볼 때마다 볼 수 있던 건 그저 어둡기만 한 공간이었다. 관리하는 하녀가 청소를 하느라 장분을 열어두면 저 사이로 커튼이 볼썽사납게 흔들렸다. 고급스러운 커튼인데도 소비에슈의 눈엔 그렇게 낡아 보일 수가 없었다. 그러나 지금은 커튼조차도 윤기가 나고 있었다.

그때. 커튼이 확 옆으로 젖혀지더니 창밖으로 나비에의 얼굴이 나타났다. 피할 틈도 없이 소비에슈는 나비에와 눈이 마주치고 말았다. 평소 일정한 크기를 고집스레 유지하는 나비에의 눈이 두 배는 커다래졌다. 소비에슈는 어색하게 입꼬리를 올리고서 손을 흔들었다. 하지만 두어 번 흔들기도 전에 커튼이 다 젖혀지더니, 반쯤 열려 있던 창문은 단호하게 닫혀버렸다.

"……화났구나."

그렇겠지. 아주 화나 있겠지. 소비에슈는 씁쓸하게 중얼거리고서 근처의 벤치에 가서 앉았다. 이혼을 도중에 멈추긴 했다지만 그 과정까지 나비에는 이미 상처를 다 받은 후일 터. 이제 와 그가 미안하다고 해봤자 바로 수긍하지 못할 것이다.

소비에슈는 너무 많은 걸 바라면 안 된다고 생각하면서도 다시금 생각하고 말았다. 이왕 이런 꿈을 꿀 거라면 좀 더 이전 시간대였으면 좋겠는데.

'하긴. 그래도 그 시간대라 이혼이나마 막아냈지.'

소비에슈는 벤치에 턱을 괴고 앉아 닫힌 창문을 빤히 바라보았다. 언제 이 꿈에서 깰지 모른다. 곧 깨질 꿈이라면 조금이라도 그녀의 흔적이 보이는 곳에 머물고 싶었다.

"아악!"

소비에슈는 날카로운 비명에 눈을 번쩍 떴다. 이른 아침의 풀냄새와 낯선 하녀의 얼굴이 가장 먼저 인지되었다.

이게 뭔가, 생각하는데 하녀가 다급히 무릎을 꿇고 사죄했다.

"황, 황제 폐하께 인사 올립니다. 죄송합니다, 폐하. 설마 여기서 폐하께서 주무시고 계실 줄은 몰랐습니다."

소비에슈는 이곳이 서궁 정원이란 걸 눈치챘다. 어제 나비에의 방 창문을 바라보며 꿈이 깨기를 기다렸는데. 꿈이 깨지 않고 아침이 먼저 찾아온 것이다. 소비에슈는 폐에 한기를 느꼈다. 차가운 밤공기를 받으며 자는 바람에 폐에 찬바람이 든 기분이었다. 하지만 그보다 아직 자신이 여기에 머물고 있다는 게 더 놀라웠다.

"일어나거라."

소비에슈의 말에 하녀는 잔뜩 움츠린 채 가까스로 일어났다.

그때였다. 하녀의 뒤쪽으로 난 불그스름한 산책로에서 "폐하?" 하는 차가운 목소리가 들려왔다.

하녀는 이번에는 그쪽을 향해 다시 인사를 올렸다. 나타난 사람은 당연하게도 나비에였다. 나비에는 소비에슈가 여기서 밤을 새운 걸 바로 눈치챘는지 눈이 커다래져서 다가오더니, 할 말을 잃은 듯 가만히 있었다.

소비에슈는 나비에의 눈길을 받다가 얼른 둘러댔다.

"잠깐만 있다 가려 했소. 그러다가 잠이 들어서……."

"호위를 데려오지 않으셨나요?"

"편하게 오고 싶어서 다 물렸소."

나비에는 눈살을 찌푸렸다.

또 미움을 받는구나. 소비에슈가 그 표정을 보고 아쉽게 웃는 순간. 그러나 나비에는 손을 뻗어 소비에슈의 뺨에 가볍게 손등을 대보았다. 차갑고 부드러운 손이 그의 뺨을 눌렀다. 그 피부가 닿자마자 소비에슈는 저도 모르게 울고 말았다. 눈물이 손등에 닿자 나비에는 불길에라도 닿은 것처럼 손을 빼내며 소비에슈를 미친놈 보듯 바라보았다.

"어제부터 영 이상하시군요. 몸이 좀 안 좋으신 게 아닌가요?"

나비에는 진심으로 소비에슈의 상태가 의심스러운 듯 돌려서 미쳤냐고 물었다. 소비에슈는 나비에의 손이 닿았던 뺨에 자신의 손을 올렸다. 자국이 남을 리 없을 텐데도 그 부분에서 열기가 올라왔다.

소비에슈는 손을 올린 채 인사했다.

"미친 건 아니오. 하지만 걱정해줘서 고맙소."

그러나 나비에는 소비에슈의 대답을 듣자 눈동자가 더욱더 가늘어졌다. 그의 상태를 더욱 의심하는 것 같았다. 사실 나비에뿐만이 아니었다. 그녀의 뒤에 선 시녀들 역시도 눈들이 금방이라도 굴러떨어질 것처럼 보였다.

그러나 소비에슈는 나비에가 자신을 걱정해주는 것 같아 가슴이 포근해졌다. 보내는 감정이 걱정만은 아닌 것 같지만 거기까진 신경 쓰이지도 않았다. 그저 이 꿈이 아직까지 이어진다는 데 감사할 뿐이었다.

"황후 방에서 흘러나오는 빛을 보았소. 그게 따뜻해서 잠시 구경하려 했지. 그러다 깜빡 잠이 든 모양이오."

소비에슈는 해명했으나 나비에는 침묵했다. 그래도 먼저 돌아가겠단 말은 하고 싶지 않아서, 그는 불편해도 꿋꿋하게 버티고 서서 기다렸다. 그 효과가 나온 걸까. 나비에가 짧게 한숨을 내쉬면서 말했다.

"들어와요."

"그럴까?"

소비에슈는 나비에가 말을 바꿀까 봐 얼른 따라갔다. 밤새 벤치에 있던 터라 다리가 무겁고 저렸고 쥐까지 올라오는 듯했지만, 티 내지 않으려 태연한 표정을 유지했다.

나비에는 침실로 들어가면서 로라에게 말했다.

"로라, 궁의를 불러와요."

"네!"

로라가 소비에슈를 신기한 듯 쳐다보며 얼른 밖으로 나가자, 나비에가 어째서인지 그런 로라를 잠깐 돌아보았다. 나비에 눈동자의 의미를 읽을 수가 없어서 소비에슈는 불안해졌다. 혹시 침실에 데려가기 싫어졌나? 마음을 바꾸려는 게 아닐까? 그는 나비에가 그새 마음이 변할까 봐 일부러 얕게 기침했다. 그 소리를 들은 나비에의 시선이 이쪽으로 닿자 소비에슈는 괜히 목 주위를 누르며 중얼거렸다.

"목이 좀 아프군. 찬 바람을 쐬어서 그런가."

"……들어와요."

결국, 나비에가 방에 들어오게 허락해주자 소비에슈는 거절하지 않고 얼른 따라 들어갔다. 방 안에 들어간 소비에슈는 자기도 모르게 숨을 크게 들이쉬며 이곳 공기를 느끼려 시도했다. 꿈이 이틀간 연장되어서 기쁘지만 그러다 깨버릴지 모르니 오감을 이용해 이곳을 기억하고 싶었다. 하지만 숨을 들이쉬자마자 나비에와 눈이 마주친 소비에슈는 숨을 멈추어야 했다.

나비에가 미간을 찡그리더니 차갑게 물었다.

"뭘 하신 거지요?"

소비에슈가 숨소리조차 크게 내는 게 싫은 눈치였다. 소비에슈는 숨을 멈춘 상태로 고개를 저었다.

"아니오. 찬 곳에서 잤더니 배가 차서. 여기는 따뜻하니 숨을 크게 쉬고 있었소."

스스로도 놀라울 만큼 그럴듯한 변명이 빠르게 흘러나갔다. 나비에도 다행히 이번에는 믿는 듯 더 추궁하지 않고 욕실로 다가가 문을 열어주며 말했다.

"따뜻한 물을 받아두었으니 씻도록 하세요. 뜨거운 물에서 목욕하고 나면 냉기가 좀 빠지겠지요."

"황후가 목욕하려던 물이 아니오?"

"전 나중에 하면 됩니다."

소비에슈는 괜찮다고 멋지게 거절하고 싶은 마음과 나비에의 방에 더 머물고 싶은 욕망 사이에서 갈등했다. 소비에슈는 절대로 누군가의 욕실에 집착하는 음험한 욕망을 품은 적이 없었다. 하지만 나비에가 사용하는 화장품과 향수, 입욕제의 향을 폐 가득 들이마셔 보관하고 싶었다. 그래야 꿈에서 깨더라도 이 꿈을 회상하면서 조금이라도 기쁠 수 있을 것이다. 결국 소비에슈는 욕망에 무릎을 꿇고 작게 대답했다.

"그러면 그러겠소."

나비에는 직접 커다란 하얀 수건과 목욕 가운을 가져다가 그에게 건네주며 말했다.

"옷은 하인을 보내 폐하 방에서 가져오라 하겠어요."

소비에슈는 목욕 가운을 끌어안고 고개를 끄덕였다. 대답을 듣자마자 나비에는 쾅 소리가 나게 문을 닫았다.

이혼을 막아도 자신과 나비에 사이에는 이렇게 문과 벽이 있구나. 소비에슈는 멍하니 닫힌 문을 바라보며 생각하다가 문을 문질러 보고서 안도했다. 다행히 문짝이 두껍진 않았다.

목욕을 끝낸 소비에슈는 목욕 가운을 입다가 벗은 옷 주머니에서 회중시계를 발견하고서 멈칫했다. 과거로 돌아오기라도 한 듯 현실적인 꿈속에서 유일하게 함께 있는 현실 속 물건을 보자 느낌이 이상했다. 소비에슈는 회중시계를 들고서 잠시 고민하다가, 목욕 가운 주머니에 시계를 챙겨 넣고 나갔다.

침실에는 이미 궁의가 도착해 기다리고 있었다. 소비에슈가 소파에 앉자, 궁의는 얼른 소비에슈를 진찰해본 다음 물었다.

“밤새 밖에 계셨다고 했지요?”

“그래.”

“찬 공기를 쐬며 주무셔서 가벼운 감기에 걸리셨습니다. 증세가 심한 건 아니니 약을 먹고 2, 3일 푹 쉬시면 됩니다.”

소비에슈는 궁의가 더 말하길 기다렸으나 정말로 간단한 감기일 뿐인 듯 궁의는 더 말하지 않고 소비에슈를 바라보기만 했다. 소비에슈가 알겠으니 나가라고 지시하기를 기다리는 눈치였다. 소비에슈는 힐긋 나비에의 반응을 살폈다. 약간 걱정하는 듯하던 나비에는 궁의에게서 괜찮다는 말을 들어서인가. 그나마 표정에 드러났던 약간의 걱정도 식은 물처럼 가라앉아 있었다.

소비에슈는 궁의에게 무뚝뚝하게 물었다.

“숨을 쉴 때마다 폐에 찬 바람이 들어 있는 느낌이다. 계속 잔기침이 나오고 몸이 좀 으슬으슬 떨리는군. 가벼운 감기가 확실한가?”

“예. 기침이 나올 땐 따뜻한 물을 드시면 됩니다. 열도 없으신걸요.”

“내가 동궁까지 걸어갈 수 있겠나. 다리에 힘이 들어가지 않는데.”

“그럼요. 적당한 산책은 감기를 빨리 떨치는 데도 좋습니다.”

눈치 없는 궁의의 말에 소비에슈는 입술을 꾹 닫았다. 저 궁의는 동궁까지 걸어가면 몸에 무리가 가니 여기서 좀 쉬시라 할 눈치가 없는 건가?

하지만 이미 그의 몸이 괜찮다는 말을 나비에도 함께 들은 후였다. 궁의가 나가자, 나비에는 탁자에 놓아둔 그의 옷을 건네며 말했다.

"갈아입고 돌아가요."

가차 없는 지시에 소비에슈는 힘없이 옷을 받아 안고서 고개를 끄덕였다.

"폐하. 대체 이게 무슨 일이랍니까!"

서궁을 나가자, 카를 후작이 동궁으로 접어드는 회랑에 서 있다가 바로 붙으면서 타박했다.

"전 폐하께서 서궁에 가셔서 오지 않으시기에 황후 폐하와 함께 계시는 줄 알았습니다. 일부러 사람을 더 보내지 않았지요. 두 분이 화해하는 시간이 필요하다고 생각했으니까요. 그런데 정원에서 쪼그리고 밤을 새우시다니요!"

아무래도 소비에슈가 밤새 서궁 정원에 있었다는 소문은 좀 과장되게 퍼진 모양이었다.

"쪼그리진 않았네. 벤치에 있었지."

소비에슈가 정정했으나, 카를 후작은 그거나 이거나 차이가 없다고 여기는 표정이었다.

"가벼운 감기여서 다행이지, 좀 더 큰 병에 걸리셨다면 정말 큰

일 났을 겁니다. 폐하의 건강에 동대제국이 걸려 있단 걸 잊으시면 안 됩니다."

"그러겠네."

카를 후작은 그 외에도 하고 싶은 말이 가득해 보였다. 며칠 전에는 이혼하겠다고 큰소리를 쳐놓고서 지금은 창문 밑에서 밤이나 새고 있으니, 기가 막힌 모양이다. 하지만 카를 후작은 좋은 말이 나오지 않으리라 여기는지 침묵한 채 소비에슈의 침실까지 따라갔다. 침실에 도착하자 카를 후작은 응접실 테이블에 미리 준비해둔 약그릇을 가지고 와 내밀었다.

"궁의가 보낸 약입니다. 하루에 세 번씩 이걸 드시면 사나흘이면 깨끗하게 나으실 거랍니다."

소비에슈는 약을 받아 들고서 마셨다. 약은 매우 썼다. 그가 목구멍 끝에서부터 올라오는 고약한 맛에 인상을 찌푸리자 카를 후작이 주머니에서 포장된 사탕을 꺼내 내밀었다.

"약이 좀 쓸 거라 했습니다."

"좀이 아닌데."

소비에슈는 약을 다 삼키자마자 그릇을 내려놓고 얼른 사탕 껍질을 까서 입에 넣었다. 그러자 단맛이 쓴맛을 누르면서 조금 나아졌다. 그래도 영 혀에 붙은 고약한 맛과 냄새가 사라지지 않아 인상을 계속 찌푸리게 되었다.

'꿈인데도 이렇게 고약한 맛이 나다니.'

소비에슈는 회중시계를 꺼낸 다음 겉옷을 벗어 카를 후작에게 건네고 자신은 책상 앞에 앉았다. 카를 후작은 옷걸이에 옷을 두고 그에게로 다가오며 약을 챙기느라 잠시 미룬 잔소리를 할 태세를 갖추었다. 그러다 카를 후작은 책상 위에 놓인 회중시계를 보고는 의아한 목소리로 물었다.

"못 보던 시계로군요?"

카를 후작은 소비에슈가 어떤 물건을 가졌는지 거의 꿰뚫고 있는 사람이었다. 그런데 소비에슈가 꺼내둔 회중시계는 섬세한 세공이나 사용된 보석 등이 아주 값비싸 보였다. 카를 후작이 의아해서 물을 만했다.

"아, 이거 말인가."

소비에슈는 이 시계가 자신의 '현실'에서 가져온 물건이란 말을 어떻게 해야 하나 싶어서 바로 대답하지 못하고 시계 뚜껑만 열었다 닫기를 반복했다. 소비에슈가 대답을 끌자 더 호기심이 이는지, 카를 후작이 허리를 굽혀 시계를 유심히 살피다가 덧붙였다.

"고장 난 시계 같습니다. 아주 예쁜데 시곗바늘이 움직이지 않네요."

"이건……."

소비에슈는 카를 후작에게 시계에 관해 이야기하려다가 멈칫했다. 이 시계는 처음에는 아주 잘 작동하고 있었다. 시계가 멈춘 건 이 '꿈' 속에 들어와서였다. 막 이 '꿈' 속에 들어왔을 때. 품 안에서도 시계의 초침이 강렬하게 느껴졌다. 소리도 들렸다. 하지만 그뿐. 실제로 보는 시계는 바늘이 멈춰 있었다. 그리고 지금도 시계는 완전히 멈춰 있었다.

소비에슈는 시계 뚜껑을 닫고서 움켜잡았다.

'혹시 이 현상에 이 시계가 무슨 역할을 하는 건가?'

이 시계를 준 사람은 아카데미 전 학장이었다. 전 학장은 자신의 유품 중 이 시계 하나만 특이하게도 자식이나 손주가 아니라 소비에슈에게 남겼다.

소비에슈가 전 학장과 친분이 두터웠던 건 맞지만, 그는 황제였고 수많은 보화를 가질 수 있는 위치였다. 전 학장이 소비에슈에게 유품을 남긴 건 특이하긴 했다. 다른 유품들은 무난하게 자식, 손주, 가까운 친인척들, 그리고 아카데미에서 가깝게 지내던 인사들에게 돌아가지 않았던가.

소비에슈는 시계를 움켜잡았다. 심장이 두근두근 뛰었다. 학장은 세상에서 마법 실력이 가장 뛰어난 이들 중 하나였다. 혹시 학장이 그를 위해 마지막에 마법을 부려준 건 아닐까? 그리고 이게 꿈이 아니라 정말 현실이라면? 그가 꿈속에 있는 게 아니라 과거로 돌아온 거라면?

입안에 남은 약의 쓴맛과 사탕의 단맛이 그리 나쁘게 느껴지지 않았다. 소비에슈는 시계를 품 안에 넣으면서 희망에 차 카를 후작에게 지시했다.

"아카데미 전 학장, 아니, 지금 학장과 얘기를 나누고 싶은데."

"편지를 쓰시겠습니까?"

"아니. 직접 만나서 얘기를 나누어야 한다."

“오늘은 일단 푹 쉬십시오, 폐하. 궁의는 가벼운 감기라고 했지만 그래도 혹시 모르니까요. 어차피 급한 업무는 며칠 분량을 다 끝냈으니 2, 3일 쉬셔도 괜찮을 겁니다.”

카를 후작의 조언에 따라 소비에슈는 오늘 하루는 푹 쉬기로 했다. 몸이 아파서는 아니었다. 이게 꿈이 아닐지도 모른다는 가능성이 생기자 일에 집중할 자신이 사라져서였다. 지금은 서류를 보아도 시간만 낭비하게 될 뿐 도무지 일할 수 없을 것 같았다.

‘만약 이게 꿈이 아니라면…….’

소비에슈는 침대에 앉아 까슬까슬한 이불보를 손으로 쓸어보았다. 기대하면 안 되는데. 괜히 헛된 기대를 해보았자 상처만 크게 남을 뿐인데. 치미는 희망을 밀어내기가 힘들었다.

그런데 한참 멍하게 앉아 희망과 공포 사이에서 시간을 흘려보내고 있을 때였다.

“폐하.”

문밖에서 호위의 목소리가 들려왔다.

“황후 폐하께서 오셨습니다.”

소비에슈는 정신이 반쯤 나가 있다가 다급히 문가로 다가가 문을 열었다. 코앞에 순식간에 나비에의 얼굴이 나타나자, 소비에슈는 초상화에 대고 말하듯 얼결에 이름을 부르고 말았다.

“나비에.”

절대로 모욕하기 위한 행동이 아니었다. 하시만 나비에는 눈이 커다래졌다가, 소비에슈가 자신을 이름으로 부르자 커다래졌던 눈이 도로 가늘어졌다. 놀림받았다고 여기는 표정에 소비에슈는 다급히 말을 정정했다.

"황후. 놀랐소. 여기 올 줄 몰라서."

나비에는 손에 김이 올라오는 수프를 쟁반에 받쳐 들고 서 있다가, 소비에슈가 수프 그릇을 내려다보자 그걸 앞으로 무심하게 내밀었다.

"목이 아프다고 해서 챙겼습니다. 제 정원에서 감기에 걸린 거니까요."

"내가 가장 좋아하는 수프요."

소비에슈는 무슨 수프인지도 모르면서 얼른 받아 들었다. 나비에는 그 모습에 눈살을 찡그렸다. 혹시 식탐이 많아 보였을까? 소비에슈는 아차 싶었으나 이미 쟁반을 받아 든 후였다.

"그래요. 잘 드세요."

나비에는 소비에슈가 쟁반을 받고 쳐다보자 그 말 한마디를 남기고 돌아서서 가버렸다. 소비에슈는 스스로를 멍청하다고 꾸짖었다. 달려 나가서 문을 열지 않았더라면 나비에는 방 안으로 들어왔을 거고, 어쩌면 차를 마시고 가라고 권할 수도 있었다. 그런데 문 앞에서 수프를 받아버리는 바람에 들어오라고 권할 타이밍까지 놓치다니.

하지만 나비에는 이미 우아한 걸음걸이로 복도를 저만큼 걸어가고 있었다. 소비에슈는 쟁반을 호위에게 들고 있으라 하고서 다급히 나비에를 뒤쫓아갔다. 나비에는 천천히 걸어가다가 소리를 듣고 돌아보더니 눈살을 찡그리며 물었다.

"왜 그러시나요?"

"배웅하러 왔소."

소비에슈는 얼른 변명했다. 하지만 그리 효과적이지 않은 모양이다. 나비에는 턱을 들어 올리고서 소비에슈의 얼굴을 파악하듯 바라보더니 짧게 대답했다.

"그래요."

"응."

"고맙군요. 하지만 폐하, 돌아가는 길은 이미 잘 알고 있답니다. 그러니 폐하께선 들어가셔서 쉬시지요."

말은 상냥하지만 목소리는 살벌했다. 따라오면 가만 안 두겠다는 비장함까지 어려 있었다. 그 노골적인 거부에 소비에슈는 결국 또 순순히 대답할 수밖에 없었다.

"걱정해주어 고맙소."

나비에는 그런 소비에슈를 이상한 괴생물체 보듯 바라보다가 몸을 돌려 다시 걸어갔다. 하지만 아까와 달리 걸음걸이는 느긋하지만은 않았다. 쫓아올까 봐 빨리 가나. 소비에슈는 어깨가 아래로 내려가 돌아섰다.

그날 저녁. 소비에슈는 카를 후작에게서 뜻밖의 보고를 들었다.

"폐하. 학장이 자리를 비워서 바로 만나긴 어렵답니다."

전서구로 학장에게 잠시 만나고 싶다고, 그가 여기로 오든 자신이 거기로 가든 좋으니 만나서 얘기하자는 말을 전했는데, 돌아온 답은 실망스러웠다.

"언제 온다고 하지?"

소비에슈는 다급한 마음에 눈살을 찌푸리고 물었다.

"일주일이나 2주 정도 걸린다고 했답니다. 하지만 상황에 따라 더 빨리 돌아올 수도 있고 더 늦게 돌아올 수도 있답니다."

소비에슈는 자신이 일주일씩이나 이곳에 있을 수 있는지 알 길이 없었다. 어쩌면 그사이에 그는 이 꿈에서 깨어날지도 몰랐다. 그런데 일주일이나 2주가 있어야 만날 수 있다니.

소비에슈의 머리에 온갖 나쁜 상상이 떠올랐다. 이게 과거로 돌아온 게 맞더라도 며칠 내로 무언가 행동을 해야지 계속 과거에 있을 수 있는 게 아닐까? 며칠 내로 뭔가를 해내지 못하면 다시 현실로 가게 되는 게 아닐까?

"어떻게 할까요, 폐하? 알겠다고 할까요?"

하지만 작은 가능성이라 하더라도 잡을 기회가 생겼는데 엉터리 짓을 할 수는 없었다.

소비에슈는 고개를 끄덕였다.

"그러도록 해라. 돌아오면 바로 이쪽으로 와달라 전하고."

"그러겠습니다."

카를 후작이 나가자 소비에슈는 책상 의자에 앉아 회중시계를 꺼내 이리저리 자세히 살폈다.

'만약 이게 정말 전 학장의 마법과 관련이 있다면…….'

소비에슈는 힘없이 돌아서던 라스타를 떠올리고 그녀에게 접근해 몰락을 꾀하던 에르기 공작을 떠올렸다.

'이게 현실일지도 모른다면 나비에 뒤만 쫓아다녀서도 안 된다. 모든 상황을 철저하게 파악하고 불온한 가능성을 다 막아야 한다.'

다음 날 아침. 소비에슈는 랑트 남작에게 지시했다.

"라스타를 데려와라."

잠시 후 방에 불려온 라스타는 얼굴이 밝았다.

"폐하. 라스타를 부르셨다면서요."

이혼을 돌연 취소한 후부터 소비에슈는 라스타에게 관심을 조금도 두지 않았다. 먹고 입고 지내는 건 이전과 달라지지 않았지만, 라스타는 사람들이 이 일로 자신을 우습게 여길 것만 같아서 불안하고 초조해했다. 그러다 소비에슈가 부르자 라스타는 기뻐서 안 그래도 고운 얼굴이 더욱 환해졌다.

"앉거라."

소비에슈가 소파를 가리키자 라스타는 얼른 다가가 앉아 초롱초롱한 눈으로 그를 바라보았다. 그러나 그것도 잠시. 라스타는 소비에슈의 표정을 보자 그가 입을 열기도 전에 불길한 예감을 받았다.

'왜 저렇게 보시지……?'

그녀를 바라보는 소비에슈의 시선이 평소와 달랐다. 그 시선은 정말로 별났다. 애정은 아니었으나 증오나 미움이라 부르기에도 어울리지 않아 보였다. 소비에슈가 언제 저렇게 그녀를 본 적이 있던가?

'꼭 다른 사람 같아.'

라스타는 소비에슈가 이전까지 알던 소비에슈가 아니라 소비에슈와 꼭 닮은 다른 소비에슈 같다고 생각했다. 커다란 초상화 너머에 있는 그런 소비에슈 같았다.

"폐하. 라스타한테 화나신 게 있나요……?"

라스타는 일단 기죽은 목소리로 물어보았다. 어쨌든 지금 소비에슈는 이전처럼 그녀를 따뜻한 눈으로 보아주지 않았다. 그게 불안했다. 설마 그 법정에 선 일을 계기로 황제는 완전히 그녀에 대한 마음이 식어버린 것일까?

"라스타. 네가 에르기 공작과 친하게 지내는 걸 안다."

라스타는 눈이 동그래졌다.

'혹시 폐하가 라스타를 갑자기 멀리하는 게 에르기 공작님 때문인가? 폐하는 라스타와 에르기 공작님 사이를 질투하나?'

이에 생각이 미친 라스타는 다급하게 머리를 젓고서 말했다.

"폐하. 라스타는 에르기 공작님과 친구일 뿐이에요. 폐하가 오해하시는 어떤 일도 없어요."

소비에슈는 이전에는 라스타가 자신의 예측과 다르게 행동하는 걸 이해하지 못했다. 하지만 과거를 끊임없이 자책한 지금의 소비에슈는 이젠 라스타가 한순간에 감정이 끓어오르는 사람인 걸 알고 있었다. 소비에슈는 라스타가 차분해질 시간을 주기 위해 하인을 불러 음료수와 케이크를 가져오게 했다.

"먹거라."

"폐하, 정말로 라스타는 에르기 공작님이랑 아무 사이 아니에요."

"안다. 그것 때문에 한 말도 아니고. 일단 먹거라."

라스타는 소비에슈가 왜 이러는지 모르겠다고 생각하면서도 우선 과일즙 음료수를 마시고 케이크를 먹었다. 라스타가 느릿하게 음식을 먹는 동안 소비에슈는 할 말을 속으로 골랐다.

'라스타에게 에르기 공작을 멀리하라고 그냥 말해봤자 절대로 따르지 않겠지.'

소비에슈는 이미 '현실'에서도 라스타에게 에르기 공작에 대해 경고를 했다. 그러나 라스타는 에르기 공작을 계속 만나지 않았던가. 그렇다고 강제성을 띠고 만나지 못하게 하기엔 라스타는 지금 임신한 상태였다. 에르기 공작이 나쁜 사람이라 나중에 그녀를 배반하리란 말도 할 수 없었다. 에르기 공작을 좋게 보고 있는 라스타는 소비에슈가 그를 질투해 음해한다고만 여길 것이다.

라스타가 음식을 다 먹었을 즈음 소비에슈는 마침내 대사를 준비해서 말했다.

"실은 라스타. 에르기 공작은 내게 원한이 있단다."

라스타는 컵을 내려놓다가 토끼 눈을 떴다.

"원한이요? 별로 친분이 없어 보이시던데요?"

"어린 시절 원한이거든. 게다가 가족들이 관련된 원한이라 에르기 공작은 그 일을 입 밖에 내기도 싫어해서 모른 척하며 살지."

"몰랐어요……."

"에르기 공작이 나에 대한 원한을 어떤 식으로 주위에 풀려 할지 모르겠구나, 라스타. 그러니 네가 다른 친구를 사귀고 공작과는 거리를 두었으면 좋겠다."

라스타는 바로 대답하지 못하고 우물쭈물했다. 그러나 소비에슈는 라스타가 싫다고 말하지 않거나 반발하지 않는 것만으로도 우선 한 계단은 지났다고 생각했다.

'모든 일에 신중해야 한다. 천천히. 급하지만 서둘러선 안 된다.'

이후 라스타를 돌려보낸 소비에슈는 랑트 남작과 라스타의 방 주위를 교대로 지키는 근위병, 베르디 자작 부인을 불러서도 지시했다.

"에르기 공작과 로테슈 자작이 좋지 못한 계획을 세웠단 정보가 있다. 너희는 그자들이 라스타에게 접근하지 못하도록 막아라. 단, 라스타가 이를 눈치채게 해서는 안 된다. 동선을 계산하든가 일정을 조절하는 식으로 막아야 한다. 알았느냐."

사람들을 물린 후. 소비에슈는 소파에 앉아 차근차근 이 시기의 일을 떠올려보았다. 나비에에게 용서를 구하고 마음을 여는 건 그가 꾸준히 계속해야 할 일이었다. 하지만 동시에 그는 에르기 공작과 로테슈 자작, 라스타가 '현실' 같은 일을 벌이지 못하도록 주시해야 했다.

'라스타가 황후가 되어 친 가장 큰 사고는 항구에 대한 거지. 이번엔 황후가 되지 못했으니 그 사고는 치지 못할 거다. 가장 큰 사고는 이미 막았어. 하지만 에르기 공작이나 로테슈 자작은 방향을 바꿔서 다른 방식으로 라스타를 꾀어낼지 몰라. 문제 되었던 이들을 계속 지켜보자.'

점심 무렵. 소비에슈는 나비에가 또 수프를 가져다주진 않을까 싶어 응접실 소파에 앉아 귀를 기울였다. 하지만 점심시간이 끝나도록 나비에는 사람조차 보내지 않았다. 소비에슈는 실망해서 회중시계를 만지작거리다가 좋은 생각을 떠올렸다.

'수프를 받았으니 답례를 하면 되지.'

이에 소비에슈는 주방장에게 나비에가 좋아하는 새우 요리를 만들게 한 다음 시종을 불러 지시했다.

"황후에게 내가 수프를 마시고 몸이 조금 나았다고, 답례라고 가져다주어라. 황후가 내 상태가 어떤지 묻거든 내 안색이 창백하다고 하고. 잔기침을 계속 하더라고 전해라."

시종은 건장한 소비에슈의 얼굴을 잠시 바라보다가, 고개를 깊숙이 숙였다.

"예, 폐하."

시종이 물러난 뒤에도 소비에슈는 계속 문 앞을 지키고 서서 시종이 돌아오길 기다렸다.

약 30분 뒤. 시종이 돌아오자 소비에슈는 다급히 물었다.

"황후가 뭐라더냐?"

"그냥 새우만 받으셨습니다, 폐하. 폐하의 상태에 대해선 달리

하신 말씀이 없으십니다."

시종의 대답은 가차 없었다.

"염려하는 표정이라거나. 눈짓이라거나. 시름 어린 한숨이라거나."

시종은 소비에슈가 나열하는 단어를 듣다가 고개를 숙이며 기어들어가는 목소리로 대답했다.

"없었습니다, 폐하……."

소비에슈는 손을 내저어 시종을 나가게 하고서 소파에 기대어 누웠다. 실망감이 물밀듯 밀려왔으나 소비에슈는 애써 좋게 생각했다.

'그래도 새우를 받아줬으니까…….'

"저녁 식사로 드시고 싶은 게 있으십니까?"

미약한 감기일 뿐이지만 아프다고 계속 홍보하고 다녀서일까. 저녁 식사를 할 시간이 되자 요리사가 직접 찾아와 물었다.

"저녁?"

소비에슈는 이 시기에 자신이 한 업무를 시간 순서에 따라 정리하던 걸 멈추고 기억보다 훨씬 젊은 요리사의 얼굴을 쳐다보았다. 지나치게 말끄러미 쳐다보았는지 요리사는 좀 민망한 얼굴로 눈을 내리깔았다. 소비에슈는 꿈속 인물을 바라보는 기분으로 요리사를 응시한 채, 나비에에게 그녀가 좋아하는 토마토 요리를 보내면 어떤 반응이 나올까 짐작해보았다.

"폐하?"

요리사가 조심스레 소비에슈를 불렀다. 소비에슈가 그를 쳐다보기만 하고 아무런 대답을 하지 않자 의아한 듯했다. 그러나 소비에슈는 쉽게 대답하지 못했다.

'나비에가 좋아할까?'

황실 요리사의 요리라면 나비에 역시도 똑같은 걸 먹을 수 있었다. 동궁 요리사와 서궁 요리사가 다르긴 하지만 동궁에서 나비에가 식사할 때도 있었고, 일손이 바쁠 때는 두 궁의 요리사들이 모두 다 연회에 동원되기 때문이었다.

하지만 이런 식으로 생각하면 성의를 표현할 방법이 너무나 줄어들게 되었다.

"폐하?"

요리사가 다시 소비에슈를 부르자, 고민을 끝낸 소비에슈는 펜을 내려놓으며 지시했다.

"토마토를 이용한 요리를 만들어서 황후에게 보내거라."

"폐하께서 같이 드십니까?"

"아니. 짐은 버섯수프면 된다."

"예."

"아니."

"예?"

"짐도 토마토수프로."

이후 소비에슈는 토마토수프를 받고서 최대한 천천히 식사했다.

식사를 다 한 뒤에도 소비에슈는 그릇을 앞에 둔 채 계속 문을 쳐다보았다.

"폐하. 그릇을 치울까요?"

보다 못한 하인이 소비에슈에게 물었으나 소비에슈는 고개를 저었다.

"아니. 나중에."

하인은 황제의 속내를 알 수 없어 괜히 불안해하며 나갔다. 그러나 소비에슈가 그릇을 치우지 못하게 하는 건 큰 이유는 아니었다. 그는 그저 혹시 나비에가 찾아오거나 사람을 보냈을 때 자신도 토마토 요리를 먹었다는 걸 보여주고 싶을 뿐이었다.

하지만 테이블 앞에서 40분을 기다려도 서궁에서 오는 사람은 아무도 없었다. 한 시간을 채운 뒤. 소비에슈는 결국 하인을 불러 지시했다.

"그릇을 치우거라."

하인이 그릇을 치우는 동안 소비에슈는 소파 팔걸이에 턱을 괴고서 초조하고 들뜬 마음을 누르려 애썼다. 소비에슈의 이성은 나비에가 지금은 그와 말도 섞고 싶어 하지 않을 거라고 차분하게 알려주었다.

그러나 소비에슈의 두려움은 자꾸만 그의 앞에 시계를 들이밀어 초조하게 만들었다. 정말로 과거로 돌아온 건지, 돌아왔더라도 일시적인 건 아닌지 알 수 없다 보니 계속 귓가에 시곗바늘 환청이 들려왔다.

밤 10시 무렵. 소비에슈는 더 참지 못하고 서궁으로 찾아가보았다. 밤이 되자 한층 불안감이 심해졌다. 자고 일어났을 때 여기가 아니라 '현실'일까 봐 겁이 났다. 그렇다면 떠나기 전에 나비에의 모습을 한 번이라도 더 보아두고 싶었다.

"따라올 필요 없다."

소비에슈는 뒤를 따르는 근위기사들까지 물리고서 서궁 계단을 한달음에 올라가 나비에의 방 앞에 멈추어 섰다. 문을 열고 들어서자 응접실 소파에 모여 앉아 간식을 먹던 시녀들이 놀라 일어섰다.

"황제 폐하?"

그녀들은 얼마나 놀랐던지, 예법에 빠삭한 이들인데도 소비에슈를 보고 인사를 올리지 못했다.

"황제 폐하께 인사드립니다."

엘리자 백작 부인이 가장 먼저 정신을 차리고 인사하자 다른 시녀들도 그제야 줄지어 인사했다.

"황제 폐하께 인사드립니다."

소비에슈는 침착한 척 고개를 끄덕이고서 물었다.

"황후는?"

시녀들은 빠르게 눈짓을 주고받았다. 나비에가 침실에 있지만 소비에슈를 보고 싶어 하지 않다 보니 어떻게 대응해야 하나 곤란한 눈치였다.

"가서 황후에게 내가 물어보고 싶은 게 있다고 전하라."

소비에슈의 지시에 로라는 얼른 침실 안으로 들어섰다.

소비에슈는 붉은 벨벳 소파 등받이에 두 손을 얹고서 초조하게 방문을 지켜보았다. 시녀들은 단 며칠 만에 갑자기 행동이 백팔십도로 달라져버린 황제를 묘한 시선으로 바라보았다.

사실 시녀들은 소비에슈가 오기 전까지 그에 관한 이야기를 하고 있었다. 소비에슈가 나비에 황후가 좋아하는 새우 요리를 보내고, 또 토마토 요리를 보내는 둥 안 하던 행동을 갑자기 하고 있어서였다. 게다가 밤이 새도록 나비에 창문 아래 벤치에 있다가 감기에 걸리기도 했고, 갑자기 황후를 보며 울기도 했다. 듣자 하니 최근에는 라스타를 보는 일도 거의 없다고 했다. 오늘 아침에 라스타를 부르긴 했지만 그때도 오래 함께 있지 않았다고 들었다.

그러나 시녀들이 가장 혼란스러운 건 황제의 이런 행동들이 아니었다. 황후를 바라보는 눈동자였다. 소비에슈 황제는 나비에를 몇십 년 헤어졌다가 가까스로 만난 연인을 보듯 하고 있었다. 이에 엘리자 백작 부인은 40분 전, 실제로 소비에슈가 미친 건 아닌가 의심하는 의견을 냈다. 주베르 백작 부인은 라스타와 소비에슈가 싸운 게 분명하다고 의심했다. 아르티나 부단장은 '황제가 여러 가지를 계산해본 뒤 자신에게 가장 유리한 방향으로 연극하는 것'이라고 했다.

시녀 중 소비에슈를 가장 좋게 보아주는 건 로라였다. 로라만이 소비에슈가 드디어 자신의 아내가 세상에서 가장 소중한 존재임을 깨달은 거라고 주장했다. 또한 로라는 그를 당장 용서할 필요는 없지만, 기회를 줄 수도 있다고 했다. 이런 상황이다 보니 시녀들은 소비에슈의 반응을 미세한 변화까지도 눈여겨보게 되는 것이었다.

'내가 신기한가 보군.'

오랜 세월을 살아온 소비에슈가 시녀들의 속내를 눈치채지 못할 리가 없었다. 하지만 소비에슈는 아무것도 느끼지 못한 척 닫힌 문만 쳐다보았다.

얼마나 그렇게 있었을까. 문이 조금 한 번 열렸다가 멈칫하더니 곧 반 정도 열렸다. 그 사이로 로라가 쏙 홀로 밖으로 나왔다. 뒤에는 아무도 없었다. 로라는 소비에슈의 앞으로 걸어와 공손하게 말했다.

"죄송합니다, 폐하. 황후 폐하께선 이미 주무시고 계세요."

소비에슈는 로라의 눈동자가 옆으로 굴러가는 걸 발견했다. 게다가 귀와 볼이 빨개져 있었다. 거짓말이로군. 소비에슈는 이를 모르는 척하며 대답했다.

"그렇군. 내가 너무 늦은 시간에 온 모양이야."

"죄송합니다……."

"네가 죄송할 건 없지. 황후에게…… 내가 다녀갔단 말은 하지 말거라."

"예, 폐하."

"그래."

소비에슈는 돌아서서 바로 걸어갔다. 로라는 그 뒤를 까치발을 들고 따라 나갔다가, 소비에슈가 완전히 복도를 다 지나가 보이지 않게 되자 문을 닫고 울상인 얼굴로 엘리자 백작 부인에게 물었다.

"괜찮을까요? 폐하께서 기껏 후회하고 다시 돌아오려 하시는데 계속 거부하시다가……."

엘리자 백작 부인이 반응하기 전 아르티나 부단장이 냉랭하게 먼저 나섰다.

"몇 번 못 만난다고 다른 여자를 만날 애정이면 언제든 또 다른 여자를 만나겠지요."

주베르 백작 부인은 부채를 꺼내 살살 부치면서 아르티나 부단장의 말에 동의했다.

"맞아요, 로라 양. 황후 폐하가 마음고생한 시간을 추스르고 추슬러도 최소 몇 주예요. 폐하는 고작 며칠 왔다 갔다 했을 뿐이라고요. 그게 대수예요?"

로라는 시무룩하게 대꾸했다.

"사람 마음이 그런가요……."

엘리자 백작 부인은 차분하게 사태를 지켜보다가 로라의 어깨를 감싸며 말했다.

"자, 그만. 이건 황후 폐하의 마음이 결정할 문제예요. 우리가 왈가왈부할 일이 아니지요. 우리가 계속 화내라 권한다고 계속 화내시고 우리가 그만 화내라 권한다고 그만 화내시겠어요?"

시녀들은 모두 맞다고 대답하면서 각자 좋아하는 자리로 흩어졌다. 로라는 닫힌 문 두 개를 번갈아 바라보다가 한숨을 내쉬었다. 하지만 곧 발끈해서 다른 시녀들에게 외쳤다.

"맞아. 앞으로 황후 폐하가 깨어 계시는데도 주무시고 있다고 거짓말하는 건 여러분이 맡으세요! 다들 황제 폐하를 돌려보내는 게 쉬운 일이라 생각하는 모양이니까요! 생각해보니 왜 맨날 내가 도맡아서 거짓말하는 거예요?"

시녀들은 못 들은 척 차를 따르고 체스판을 꺼냈다. 그 모습을 보며 로라는 화가 나 씩씩거렸다.

소비에슈는 동궁 밖까지는 바로 나갔지만, 서궁으로 곧장 향하진 않았다. 그는 나비에 침실에서 빛이 흘러나오는 창가 아래의 벤치에 가서 벤치 등받이를 쓸어보고 있었다.

'여기서 기다리다가 아침에 발견되면 나비에가 혹시 또 의사를 불러줄까? 그때 또 얘기해볼 수 있을까?'

소비에슈는 그런 생각을 하며 몇 번 의자 등받이를 문질렀다. 하지만 그는 곧 마음을 돌렸다. 그러면 용서를 구하는 게 아니라 용서를 요구하는 것처럼 보일 것이었다. 소비에슈는 만에 하나 얻은 걸지도 모를 기회를 그런 식으로 만들고 싶지 않았다.

결국 동궁으로 간 소비에슈는 씻고 침대 이불 안에 들어가 누웠다. 하지만 그는 잠들지 못하고 계속 뒤척였다. 눈을 떴을 때 이곳은 과거일까 현실일까. 공포심에 쉬이 눈을 감을 수가 없었다.

다음 날. 눈을 뜬 소비에슈는 나비에의 얼굴이 보이지 않자 이곳

이 과거임을 깨닫고 중얼거렸다.

"신이여."

아이러니하게도 그의 '현실' 방에는 나비에의 초상화가 있지만 나비에는 없었다. 반면 그의 '과거' 방에는 나비에의 초상화는 없지만 나비에가 있었다. 그의 '현실' 방 속 나비에는 침대에서 눈을 뜨자마자 바로 볼 수 있는 바로 그 위치에 걸려 있었다. 그렇기에 소비에슈는 눈을 뜨자마자 이곳이 꿈 혹은 과거임을 알아차린 것이었다.

몸을 일으킨 소비에슈는 베개 옆에 두고 잔 회중시계를 확인해 보았다. 시계는 여전히 움직이지 않고 있었다. 모든 게 이전과 같다. 안도한 소비에슈는 회중시계를 탁상에 놓아두고 욕실로 걸어갔다. 하지만 문가에 도착하기 전. 그는 오한을 느끼고 비틀거렸다.

소비에슈는 벽을 짚고서 가슴을 손으로 짚어보았다. 심장 뛰는 속도가 유난히 빨랐다. 의아함을 느낄 새도 없이 소비에슈는 폐에 찬 바람이 들어오고 있단 생각을 마지막으로 정신을 잃었다.

이후 눈을 뜬 소비에슈는 벽에 걸린 초상화를 발견했다. 그가 나비에를 그리워하며 침대에서 볼 수 있는 벽에 걸어둔 그 초상화였다. 곁에는 노쇠한 카를 후작이 서서 눈물을 흘리다가 눈이 마주치자 다급히 다가와 손을 잡았다.

"폐하. 정신이 드십니까?"

소비에슈는 그 손을 붙잡은 채 주위를 둘러보았다. 같은 침대였으나 알 수 있었다. 이곳은 그의 방이었다. '현실'의 방.

"안 돼……. 안 돼!"

소리 지르며 일어난 소비에슈는 축축한 게 자신의 이마에서 떨어지자 아래를 내려다보았다. 물수건이 옆자리에 떨어져 있었다. 소비에슈는 차가운 물수건을 쥐어 보다가 옆을 보았다. 궁의가 당황한 얼굴로 손을 허공에 붕 띄우고 있었다. 그 옆에는 나비에가 미간을 찌푸린 채 서 있었고, 그 옆에 있는 카를 후작은 노쇠한 모습이 아니고 수염도 풍성했다.

소비에슈는 초상화가 있어야 할 벽을 보다가 아무것도 걸려 있지 않자 숨을 가쁘게 쉬면서 가슴을 손으로 짚었다.

'방금. 방금 뭐였지? 악몽? 악몽인가?'

"신의 잘못입니다. 죄송합니다, 폐하."

궁의의 목소리에 소비에슈는 손을 내리고 옆을 보았다. 궁의가 울적한 얼굴로 그를 보고 있었다.

"무슨 소리냐."

"제가 너무 별일 아닌 것처럼 말씀드려서 일이 이렇게 되었습니다. 약을 드시지 않으셨지요? 게다가 쉬지도 않으시고 밤에 창문도 열고 주무시고요."

"……."

소비에슈는 할 말이 없어졌다. 생각해보니 딱 한 번 약을 먹고 이후로는 아예 약을 먹지 않았다. 게다가 어젯밤 너무 속이 갑갑해서 창문을 열고 잠든 것도 맞다. 나비에가 들어올지 모른단 생각에 응접실에서도 문가에 내내 서 있었고, 어젯밤에도 서궁 창가 앞의 벤치에서 오랫동안 머물렀다. 일한 건 없지만 쉬지도 못했다. 아무래도 이 모든 일이 합쳐져서 감기를 더욱 악화시킨 게 분명했다.

"내가 제대로 약을 챙겨 먹지 않은 탓이지. 어찌 네 탓이겠나."

소비에슈는 진심으로 한 말이었다. 그가 나비에와 라스타, 회중시계 등에 정신이 팔려서 스스로를 돌보지 못한 건 궁의의 탓이 아니었다. 그러나 궁의는 거듭 죄송하다고 인사한 뒤 꼭 안정을 취하라고 반복해 당부하고 물러났다.

궁의가 나가자 소비에슈는 슬쩍 나비에 쪽을 바라보았다. 나비에는 차가운 눈으로 그를 내려다보고 있었다. 소비에슈는 저도 모르게 시선을 도로 내렸다. 나비에가 속으로 자기 몸도 챙기지 못하는 멍청이라고 생각할 것만 같았다.

"미안하오. 황후에게 괜한 걱정을 끼쳤군."

소비에슈는 나비에가 자신을 걱정했을 거란 생각하지 않았으나 달리 할 말이 없어서 중얼거렸다.

"아시는군요."

바로 차가운 대답이 돌아왔다. 소비에슈는 '걱정하지 않았습니다'란 대답이 아니라는 데 안도했다.

"걱정해주어서 고맙소."

나비에의 눈썹 한쪽이 삐뚤게 올라갔다. 카를 후작은 그 보기 드문 반응을 보느라 소비에슈에게 괜찮냐고 물을 틈을 놓치고 말았다.

소비에슈는 옆자리에 놓인 회중시계를 괜히 쳐다보다가 용기를 내어 나비에 쪽을 보았다. 나비에는 그가 자신을 보길 기다리고 있었던지 눈이 마주치자 바로 말을 이었다.

"앞으로는 밤중에 절 살피지 말고 폐하의 건강을 살피길 바라요."

카를 후작은 눈이 커다래져서 소비에슈를 보았다.

"그러겠소."

소비에슈는 순순히 고개를 끄덕였다. 가까스로 얻은 기회를 건강을 챙기지 못해 날린다면 그야말로 바보 같은 짓이다. 이젠 제대로 약을 챙겨 먹을 생각이었다.

그러다 소비에슈는 나비에가 자신을 잠시 흔들리는 눈으로 바라보는 걸 눈치챘다. 아무래도 나비에는 소비에슈가 바로 말다툼 같은 답변을 할 거라 생각한 듯했다. 소비에슈는 그걸 눈치채자마자 기회를 놓치지 않고 힘없이 베개에 누우며 콜록콜록 잔기침을 했다.

"힘이 없군…… 황후. 계속 기침이 나오."

소비에슈는 나비에가 걱정하는 눈길을 보내주진 않을까 슬며시 기대하면서 최대한 가엾은 표정을 지어냈다. 그러나 나비에는 잠시 흔들리던 눈동자까지 차갑게 가라앉히고는 무뚝뚝하게 대답했다.

"저까지 병이 옮으면 안 되니 이만 나가보겠어요. 해야 할 일이 많은데 둘 다 아파 앓아누울 순 없으니까요."

"황후……."

"카를 후작. 폐하를 부탁해요."

나비에는 고개를 끄덕이고서 단걸음에 밖으로 나가버렸다. 소비에슈가 쾅 소리를 내며 닫히는 문을 멍하게 바라보고 있자니, 카를 후작이 소비에슈의 손을 꽉 잡아주며 말했다.

"폐하. 제가 잘 챙겨드리겠습니다."

소비에슈는 슬그머니 잡힌 손을 빼냈다.

이 시기의 소비에슈는 사실 무척 튼튼한 몸인지라 하루가 지나자 바로 말끔해졌다. 소비에슈는 차갑게 느껴지던 폐가 괜찮아지고 기침도 나오지 않게 되자, 주위에 장미 문양이 아름답게 그려진 편지지를 구해 거기에 나비에에게 보낼 편지를 적어 서궁으로 보냈다.

"황후에게 주고 답장은 보내지 않아도 된다고 전하라."

하지만 소비에슈는 큰소리를 쳐놓고서 점심 식사를 할 시간이 될 때까지 초조하게 방 안에서 서성였다. 그러나 아무리 기다려도 돌아오는 답서가 없자 소비에슈는 심부름꾼을 불러 물었다.

"편지를 보냈느냐."

"네, 폐하."

"황후가 혹시 전하란 말은 없더냐."

"예. 그냥 나중에 보시겠다며 시녀를 통해 받으셨습니다."

직접 받지도 않았구나. 그렇다면 서신을 아예 읽지 않을 수도 있나.

심부름꾼은 소비에슈의 눈치를 살폈다. 소비에슈는 나가라고 손을 저었다.

저녁 식사를 할 무렵. 소비에슈는 다시 침실 책상 앞에 앉아 백합이 그려진 편지지를 펼쳤다. 그러나 반 정도 다 적었을 무렵. 뜻밖에도 서궁에서 사람이 왔다.

"들어오라 해라. 얼른."

소비에슈는 편지지 위에 다른 종이를 덮고서 서둘러 몸을 일으켰다. 찾아온 사람은 뜻밖에도 나비에의 시녀장인 엘리자 백작 부인이었다. 나비에가 그녀를 얼마나 의지하는지 아는 소비에슈는 마음이 들떠서 맞이했다.

"어서 오게. 무슨 일인가?"

엘리자 백작 부인은 소비에슈가 웃으며 맞이하자 낯빛이 흐려졌다. 엘리자 백작 부인은 사실 좋은 대답을 가지고 오지 않았다. 그리고 그 사실에 대해 그리 미안한 마음도 없었다. 황제가 진짜로 후회해서 저러든 미쳐서 저러든 혹은 의도가 있어서 저러든, 본인이 한 행동이 있으니 상처를 받건 말건 별생각이 없었다.

오히려 엘리자 백작 부인은 최근에 로라가 소비에슈에게 미약한 동정을 보내는 게 더 이해가 가지 않았다. 로라는 소비에슈의 행동에 가장 분노한 사람 중 하나가 아닌가.

그러나 엘리자 백작 부인은 소비에슈의 얼굴을 맞은편에서 대하자 로라가 왜 그를 동정했는지, 왜 그에게 거짓말하는 역할을 맡지 않으려 신경질을 낸 건지 이해했다. 지금 소비에슈의 표정은 절벽 앞에 서 있다가 자신을 구하러 온 이들을 발견한 사람 같았다. '폐하를 구하러 온 게 아닙니다'라고 말하는 순간, 상대가 어떤 식으로 절망할지 생생히 짐작이 갈 정도였다. 이러니 로라가 앞장서 거짓말하는 역할을 하다가 소비에슈를 동정하게 된 것이다.

'그래도 안 돼.'

엘리자 백작 부인은 로라와 달리 노련했다. 그녀는 빠르게 마음을 추스르고서 평온한 안부를 전하듯 말했다.

"황제 폐하. 황후 폐하께서, 보내주신 편지며 음식 등이 고맙다고 하십니다."

"나비에가?"

소비에슈의 얼굴이 달빛을 댄 듯 밝아졌다. 엘리자 백작 부인은 반사적으로 시선을 피해버렸다. 그걸 본 소비에슈는 대번에 눈치챘다. 거짓말이구나. 그냥 좋게 하는 말이구나.

"예. 하지만 폐하께서는 바쁜 분이시고, 또 몸도 좋지 않으시니 앞으로는 이런 편지나 음식 같은 건 보내지 말라 하셨습니다."

"……."

엘리자 백작 부인이 둘러 둘러 말하고 있지만, 결론은 하나였다. 아무것도 보내지 마. 받고 싶지도 않아.

소비에슈는 억지로 입꼬리를 들어 고개를 끄덕였다.

"그렇군. 알겠네. 황후에게 염려해주어서 고맙다고 전하게."

"……예."

밖으로 나간 엘리자 백작 부인은 동궁 계단을 내려가다가 저도 모르게 뒤를 돌아보았다. 그녀는 소비에슈가 미쳤다고 주장하는 쪽이었으나, 지금 본 소비에슈는 미친 것 같진 않았다. 행보가 하루를 기점으로 너무 바뀌어서 이상하긴 하지만, 아주 침착하게 대응하고 있었다. 심지어 이전보다 훨씬 더.

'대체 심경에 무슨 변화가 있었기에?'

설레설레 고개를 저은 엘리자 백작 부인은 다시 돌아서서 서궁으로 걸어갔다.

'로라는 앞으로도 이런 심부름은 안 하려 할 테지. 나도 이건 못 하겠어. 주베르 백작 부인은 큰소리를 쳐대니, 다음엔 이런 건 그 사람에게 시켜야겠다.'

소비에슈는 두 손을 모으고 우두커니 앉아 있었다. 머릿속에 드는 생각은 단 하나였다. 지금 이 시기가 이혼 직전만 아니었다면……! 이혼 직후가 아닌 것만으로도 감사할 일이었지만, 막막한 상황과 단호한 거부는 그의 모든 마음을 부정적으로 만들었다.

소비에슈는 얼음물을 마시고 쓴 약을 마신 다음 사탕을 먹지 않았다. 그 상태로 10여 분을 있자 차차 정신이 들었다.

'아니. 이럴 때가 아니다. 맞아. 이혼 직후보단 나아. 나비에는 책임감이 강하지. 이혼 직후라면 절대로 마음을 바꾸지 않아. 가능성이 아예 사라지는 거지. 하지만 지금 나비에는 동대제국 황후다. 황후로서의 역할을 다하기 위해 동대제국에 머무를 터. 곁에 있으니 수십 년이 걸려서라도 용서받을 수 있어. 아아. 하지만 내가 이 시간대에서 계속 머무를 수 있나? 내게 수십 년의 시간이 주어질까?'

소비에슈는 따뜻한 물에 적신 손수건을 목에 묶어둔 채 소파에 앉아 회중시계를 내려다보았다.

'요리를 보낼 수도 없고 편지를 보낼 수도 없다. 이제 어쩐다.'

소비에슈는 한참 그 상태로 시계만 바라보다가 깜빡 잠이 들었다.

"폐하."

그러다 소비에슈는 문 너머에서 들려오는 목소리에 번쩍 눈을 떴다. 들어오란 표시로 종을 누르자 문이 열리고 시종이 들어왔다. 시종은 소비에슈의 책상 앞으로 걸어오더니 기쁜 표정으로 알렸다.

"폐하. 황후 폐하께서 오셨습니다."

"!"

그 말을 듣자마자 소비에슈는 바로 몸을 일으켰다. 소비에슈는 반사적으로 또다시 문으로 직접 가고 말았다.

"폐하?"

이를 본 시종이 뒤에서 소비에슈를 급히 불렀으나 황제를 멈추게 할 수는 없었다. 소비에슈는 문을 열면서야 며칠 전 자신이 나비에를 방 안에서 진득하게 기다리지 못한 걸 후회한 걸 떠올렸다. 하지만 이미 문이 열렸고 앞에는 나비에가 서 있었다.

"폐하?"

나비에는 소비에슈를 보자 눈이 조금 커다래지더니 미간 사이가 좁아졌다. 소비에슈는 얼결에 웃다가, 나비에가 자신을 바보처럼 여기면 정이 떨어질 거란 생각에 애써 입꼬리를 수평으로 유지하며 물었다.

"어서 오시오, 황후."

"……."

"차 마시고 가겠소?"

나비에가 턱을 들어 올리자, 소비에슈는 거절이 나오려는가 싶어서 다급히 이마를 짚고 비틀거렸다. 그걸 본 나비에가 부축하듯 그의 팔을 잡아주었다. 팔에 닿는 손길에 소비에슈는 저도 모르게 함박웃음을 짓다가, 나비에가 손을 내리며 싸늘하게 쳐다보자 심장이 콩알만 해지는 감각을 받았다.

"꾀병 부린 게 아니오."

소비에슈는 이미 이 시기에 그 빌어먹을 하인리가 나비에에게 연하의 사랑스러움을 내세우며 열심히 유혹을 시도한 걸 알고 있었다. 소비에슈는 나비에의 기억에서 하인리를 뽑아내려면 자신은 연상의 믿음직하고 듬직한 매력을 내세워야 한다고 생각했다. 그런데 꾀병이나 부리고 있으니 나비에가 한심하다고 여기는 게 틀림없었다.

"정말이오."

소비에슈는 작게 덧붙이다가 완전히 가라앉은 나비에의 시선을 보자 다급히 말하고 말았다.

"사랑하오."

말이 끝나자마자 눈 앞에서 문이 닫혔다. 이직 뒤에 있는 시종은

영혼이 반쯤 빠져나간 얼굴로 이 상황을 벗어나고 싶어 절망했다. 단순히 보고하러 왔을 뿐인데. 황제의 사랑 고백과 황후의 문짝 거절을 목격하자 30분쯤 기절해 있고 싶었다.

하지만 소비에슈는 지금은 시종의 마음을 신경 써 줄 여력이 없었다. 소비에슈는 천천히 닫힌 문을 열어보았다. 가버렸을 거라 여겼지만, 나비에는 입술을 깨물고 서 있었다. 자책하는 표정이 얼굴 가득 드러난 걸 보니 예법에 맞지 않았다고 생각하는 모양이었다.

"미안하오."

"미안해요."

그러다 눈이 마주치자 소비에슈와 나비에가 동시에 말했다. 나비에는 말하고서 멈칫했다. 소비에슈는 씁쓸한 기분으로 먼저 대답했다.

"황후가 찾아온 게 기뻐서. 황후를 당황하게 했소."

"아닙니다. 저도 문을 갑자기 닫아서 미안해요."

소비에슈는 나비에와 더 이야기를 나누고 싶었지만, 분위기가 껄끄러운 유리 알갱이처럼 변하자 어쩔 수 없이 물었다.

"그래, 황후. 무슨 일로 왔소?"

빨리 볼일을 마치고 돌파구를 만들어주어야 나비에가 부담 없이 서궁에 돌아갈 수 있을 듯했다. 예상대로 나비에는 조금 안도한 얼굴로 말했다.

"엘리자 백작 부인이 좀 걱정하기에 찾아왔어요."

"백작 부인이?"

"폐하께서 수심이 깊어 보인다더군요."

아까 약한 척 비틀거려보다가 냉담한 시선을 보았던 소비에슈는 이번에는 몸을 슬며시 똑바로 세우고서 든든해 보이도록 편안히 웃었다.

"아픈 건 다 나았소. 염려하지 않아도 좋소."

사실 아직 머리가 멀미하듯 울리고 음식 역시 수프 정도나 넘어가는 상태였다. 하지만 이런 이야기는 하고 싶지 않았다. 나비에는 소비에슈가 똑바로 자신을 내려다보자 안도한 듯 고개를 끄덕였다.

"그렇다면 다행이네요. 그럼 이만 가보겠어요."

나비에는 그 말을 하자마자 바로 돌아섰다. 소비에슈는 저도 모르게 그 뒷모습을 향해 팔을 뻗다가 다급히 손을 내렸다. 돌아섰으나 그림자로 그 모습을 본 나비에는 눈썹을 찡그렸다.

그날 밤. 침대에 누운 소비에슈는 드리워진 캐노피를 보면서 서궁에 보석을 선물하면 어떨까 생각했다. 음식이나 서신을 보내지 말라고 했으니 보석은 괜찮지 않을까? 하지만 그 생각을 하자마자 다음 나비에의 반응이 바로 유추되었다. 이번에는 다른 시녀가 찾아와서 '앞으로 보석 보내지 마시랍니다'라고 딱 잘라 거부할 것이다.

한숨을 내쉰 소비에슈는 오른쪽 왼쪽 계속 뒤척거리다가 아침이 다 되어가서야 가까스로 잠이 들었다. 그 노력이 가상했는지, 다행히 아침에 잠에서 깨어날 때 가까스로 한 가지 아이디어가 떠오르긴 했다.

'우연히 마주쳐야겠다.'

우연히 마주치는 것까지 하지 말라고는 나비에도 말할 수가 없겠지. 설레는 바람이 대번에 불어왔다.

소비에슈는 결심을 바로바로 실천했다. 아침 식사를 수프만으로 끝낸 뒤, 그는 곧장 동궁과 서궁이 만나는 회랑으로 나아가서 기둥 뒤쪽에서 어슬렁거렸다. 그러다 먼발치에서 인기척이 들릴 즈음. 자신도 방금 막 이곳을 지나려는 것처럼 뒷짐을 지고 느리게 걸어갔다. 효과가 있었다. 나비에는 골똘히 생각에 잠긴 얼굴로 걸어오다가 그를 보자 멈칫하며 멈추어 섰다. 소비에슈는 살짝 놀란 표정을 지어내며 그녀를 마주 쳐다보았다.

"황후?"

마주쳤는데 그냥 지나칠 수는 없기에, 나비에는 천천히 걸어와 인사를 올렸다.

"좋은 아침입니다."

"그렇군. 오늘은 아침부터 황후와 동선이 겹쳤소. 좋은 아침이오."

"……."

나비에가 무표정하게 쳐다보자 소비에슈는 앞으로는 말을 짧게 하기로 했다. 나비에는 지금 관계에서는 이런 미사여구를 듣고 싶지 않은 모양이니까.

어쨌든 소비에슈는 '앞으로는 일하러 갈 때와 일 끝내고 올 때 시간을 맞추면 하루에 최소 두 번은 얼굴을 자연스레 보겠구나' 생각하면서 고개를 나비에 반대쪽으로 돌렸다. 마주치자마자 좋아하는 모습을 보이면 나비에가 그 꼴이 보기 싫어서 본궁으로 가는 시간을 조절할지도 몰랐다. 그러니 최대한 덤덤하게 보여야 했다.

"이런 얘기는 싫어하시리라 생각하지만."

그러다 소비에슈는 나비에가 먼저 말을 걸자 얼른 그녀를 쳐다보았다. 눈을 맞추고 싶지만, 나비에는 정면으로 시선을 고정하고서 말을 이었다.

"라스타 양은 어떻게 할 생각이시지요?"

"라스타?"

소비에슈는 나비에가 라스타의 이름을 거론하자 저도 모르게 코트 끝자락을 움켜잡았다. 나비에는 바람 한 점 없는 호수처럼 잔잔하게 고개를 끄덕였다.

"그래요. 폐하께서 원래 '계획'이 완전히 엎어졌다고 하셨으니, 이후 계획에 대해 듣고 싶군요."

"아, 그건……."

"또다시 아무것도 모른 채 놀라고 싶진 않으니까요."

"미안하오."

"그건 계획이 아니에요."

"……."

소비에슈는 나비에의 옆모습을 곁눈질하며 자신이 구상해본 계획을 찬찬히 늘어놓았다.

"시기가 좀 안정되고 생활에 익숙해지면, 그러니까 내 말은 라스타가 뭘 몰라서 큰 사고를 치지 않을 정도로 말이오. 그땐 동궁과 서궁 사이에 있는 별관으로 보내 지내게 할 생각이오."

그곳은 에르기 공작이 지내는 손님용 궁전과 거리가 멀었다. 동궁에서도 서궁에서도 지켜보기 쉬웠다. 혹시 에르기 공작이 라스타에게 접근하려 해도 먼저 이쪽에서 알고 차단할 수 있는 위치였다.

소비에슈는 나비에가 마음에 들어 하지 않을까 봐 계속해서 곁눈질했다. 다행히 나비에는 아직은 화내는 기색이 아니었다.

"그렇군요."

"아이가 태어나면 정식 공주로 삼진 않을 거요. 건강하고 편안하게 살도록 지원할 생각이오."

"공주?"

"어?"

"왜 공주라 생각하시나요?"

자연히 글로리엠을 떠올리고 말하던 소비에슈는 나비에의 질문에 속이 철렁했다. 아이의 성별을 미리 알 방법은 없으니 나비에가 듣기에 소비에슈의 말은 이상하게 들릴 것이다.

"그냥. 느낌이 공주 같소."

소비에슈는 얼른 둘러댔다.

하지만 나비에는 표정에 큰 변화가 없었다. 소비에슈는 나비에가 자신의 말에 어떤 생각을 하는지 전혀 알 수가 없었다.

그사이 두 사람은 본궁에 도착해버렸다. 여기서부터는 갈림길이 나타났다. 두 사람은 각기 다른 집무실로 가야 했다. 소비에슈는 나비에가 반응을 좀 더 구체적으로 해주길 바랐다. 별로다, 싫다 등등.

"그렇군요."

그러나 나비에는 건조하게 말하더니 돌아서서 가버렸다. 소비에슈는 그 뒷모습을 먼눈을 팔고서 바라보다가 나비에가 돌아보려 하자 그제야 돌아섰다.

과거로 돌아와도 나비에는 여전히 눈길조차 주지 않는다. 하지만 그에게 눈길을 주는 이들이 있기는 있었다. 아니, 오히려 늘어났다.

"폐하께서 업무 속도가 정말 빨라지셨습니다."

"무척 효율적으로 일하시는군요."

"감히 선황제 폐하보다 더 뛰어나다고 말씀드리고 싶습니다, 폐하."

그의 비서들과 관리들이었다. 비서와 관리들은 소비에슈가 정확하면서도 신속하게 일 처리를 끝내가자 연신 감탄했다. 휴식 시간에 관리들은 자기들끼리 모여서 소곤거리기까지 했다.

"폐하께서 한번 이혼을 할 뻔하시더니 완전히 변하셨군. 사람이 변하셨어."

"원래도 일을 잘하셨지만, 오늘은 소름이 돋을 뻔했습니다. 아니, 그 빼곡한 서류를 한번 쓱 훑더니 바로바로 처리하시더라니까요?"

"애매하거나 복잡한 안건도 경우의 수를 즉석에서 몇 가지 부르고서 처리하시는데. 와…… 역시 사람은 큰일을 겪고 나면 성장하나 봅니다."

이어서 관리들은 소비에슈가 요 며칠간 나비에 황후에게 용서를 구하기 위해서 한 일들과 그에 관한 소문을 흥미롭게 이야기했다. 또한 이들은 황제가 왜 갑자기 저렇게 변했는지를 두고서 토론했다. 카를 후작은 관리들에게 호통을 쳐야 했으나 그도 소비에슈의 변화가 놀랍긴 매한가지였다. 가까이에서 보다 보니 사실 더욱더 놀라웠다. 이에 카를 후작은 호통치는 대신 슬며시 귀를 기울였다.

소비에슈는 산책하러 나왔다가 이들이 소곤대는 소리를 들었다. 하필 사람들은 나비에 황후가 얼마나 오랫동안 황제를 냉대할지, 황제는 얼마나 오랫동안 황후에게 매달릴지, 라스타가 다시 황제의 마음을 사로잡을지를 두고서 내기 중이었다. 5년, 10년, 15년 하는 숫자가 여기저기서 튀어나왔다. 소비에슈는 뒷걸음질 쳐서 도로 집무실 안으로 들어갔다.

업무를 마친 소비에슈는 나비에가 서궁에 돌아갈 시간을 맞추어서 자신도 방 밖으로 나왔다. 소비에슈는 아까 헤어진 갈림길로 바쁘게 걸어갔다. 그곳에서 나비에와 마주치면 오늘 올라온 특이한 안건에 관해 이야기하며 그녀의 반응을 보고 싶었다. 하지만 들뜬 마음은 갈림길에 도착하자마자 쏙 튀어나온 라스타의 머리로 인해 쑥 내려앉았다.

'라스타?'

소비에슈는 눈을 커다랗게 떴다. 라스타는 커다란 조각상 뒤에 숨어 있다가 나오더니 복숭아꽃처럼 웃으면서 다가왔다.

"폐하. 폐하. 우리 아기가 폐하를 보고 싶다고 해서 왔어요."

거기에 소비에슈가 대답하기 전. 나비에가 찬바람을 날리며 곁을 지나갔다. 그 뒤를 따르는 아르티나 부단장은 경멸하는 눈빛으로 이쪽을 쳐다보았다.

"저 사람은 늘 라스타를 노려봐요. 너무 무서워요, 폐하."

라스타는 아르티나 부단장이 마음에 들지 않는지 입술을 내밀고 투덜거렸다. 소비에슈는 내내 참았던 두통이 몰려와 결국 이마를 짚고 말았다.

"이걸 트로비 공작 부부에게 보내도록 해라."

침실로 돌아온 소비에슈는 자신이 가진 귀한 보물 중 귀족들이 부러워하는 물건을 골라 카를 후작에게 내밀었다.

"이걸요? 맡기시는 건지요?"

카를 후작은 선물이라고는 생각하지도 못하고서 받아 들었다.

"짐이 보내는 선물이라 해라."

소비에슈는 아무렇지 않은 목소리로 말하고서 괜히 서랍 문을 열었다가 닫았다. 카를 후작은 눈을 커다랗게 뜨고 소비에슈를 쳐다보았다.

"황후 일로 많이 걱정할 거 같아서."

소비에슈는 나비에가 선물을 받아주지 않으니 트로비 공작 부부에게라도 잘 보이고 싶다는 속내를 누르고서 둘러댔다. 카를 후작은 말하지 않아도 짐작이 갔으나 모른 척 대답했다.

"예. 그러겠습니다."

카를 후작이 나가자 소비에슈는 시종을 불러 지시했다.

"저녁 약을 가져와라."

"식사는 무엇으로 하시겠습니까, 폐하?"

"수프라면 아무거나 괜찮다."

시종은 소비에슈가 요 며칠째 내내 수프만 먹어서인지 걱정스러운 시선을 보냈다.

"예. 그러겠습니다."

시종이 물러나자, 소비에슈는 뒷짐을 지고 방 중앙을 서성이며 오늘 일로 나비에가 다시 얼마나 화가 났을지를 짐작해보려 애썼다. 물론 요 며칠 나비에는 화가 풀린 기미는 조금도 없었다. 하지만 오늘 저녁의 일로 안 그래도 마이너스이던 관계는 더 뒤로 후퇴했을 게 뻔했다.

그때. 카를 후작이 다급히 문을 두드리고서 들어오더니 소비에슈가 내내 기다리던 말을 전해주었다.

"폐하. 아카데미 학장이 찾아왔습니다."

"여기로? 벌써?"

"네. 폐하께서 찾으신단 말에 아카데미로 안 가고 바로 이쪽으로 왔다 합니다."

"들어오라 해라. 얼른."

"예."

카를 후작이 나가자 소비에슈는 품 안에서 회중시계를 꺼내 손에 쥐었다. 카를 후작이 나가고 잠시 뒤 아카데미 학장이 안으로 들어섰다. 아카데미 학장은 소비에슈를 보자 대번에 낯빛이 환해져 인사했다.

"절 찾으셨다고 들었습니다, 폐하."

'현실'에서는 앞으로 들을 수 없는 목소리에 소비에슈는 잠시 감정이 치밀어서 대꾸하지 못했다.

"폐하?"

아카데미 학장은 의아해서 그를 불렀다. 조용히 걸어가서 그의 어깨를 가볍게 움켜잡은 소비에슈는 저절로 눈가에 눈물이 고였다.

"폐하? 폐하?"

난데없는 황제의 눈물에 학장은 쓰러질 것 같은 목소리로 다급히 그를 불렀다.

"어디 편찮으십니까?"

"아니네. 자네를 보니…… 좋군."

"예?"

소비에슈와 친분이 있긴 하지만 오랜만에 보면 울 사이는 아직 아닌 학장은 할 말을 찾지 못하고 찔찔맸다. 소비에슈는 가볍게 웃고서 그에게 소파로 가 앉으라 지시했다. 학장이 소파에 앉자 소비에슈는 자신도 맞은편에 앉으면서 물었다.

"학장. 혹시 특이한 회중시계를 가지고 있지 않나?"

"회중시계요?"

학장은 어리둥절한 얼굴이었다. 소비에슈는 손수건을 꺼내 약간 나온 눈물을 닦아내면서 그의 반응을 유심히 살폈다. 혹시 이 시기의 학장은 아직 이 물건에 대해 모르고 있나? 그렇다면 설명도 해줄 수 없을 것이다.

"회중시계야 많습니다. 하지만 폐하께서 특이하다고 표현할 만한 시계가 있는지는 모르겠습니다, 폐하."

"이런 시계네."

소비에슈는 손에 들고 있던 회중시계를 두 소파 사이의 탁자에 내려놓았다. 학장은 조심스레 회중시계를 들어 올리더니 제대로 살피기도 전에 눈이 커다래졌다.

무언가를 알고 있다! 분명히 아는 표정이었다! 소비에슈는 손수건을 옆에 놓고 다급히 물었다.

"아는가?"

학장은 대답 대신 자신이 물었다.

"아니, 폐하. 폐하께선 이걸 어떻게 구하셨습니까?"

이 시계에 대해 안다면 성능에 대해서도 알 확률이 높았다. 설령 모른다 하더라도 지금 도움을 청할 사람은 시계를 준 학장뿐이었다. 비록 과거의 학장이라 할지라도. 소비에슈는 이 '과거'에 온 후 처음으로 자신의 사정을 정확하게 이야기했다.

"나는 이 시계를 자네의…… 유품으로 받았다네."

"네?"

학장은 입이 쩍 벌어져서 소비에슈를 보았다.

"다른 유품들은 자네의 제자, 손주, 자식들, 아카데미로 갔지. 하지만 자네는 이걸 짐에게 보냈네. 짐은 자네와 아주 가까운 사이여서, 자네를 그리는 의미로 늘 이 회중시계를 들고 다녔지. 그러다 눈을 떠보니 여기였네. ……과거."

학장은 침을 삼키며 소비에슈의 이야기를 듣다가 '과거' 단어가 나오자 회중시계를 떨어뜨릴 뻔했다. 학장은 회중시계를 탁자에 놓고서 가슴에 손을 올리고 빠르게 호흡했다.

"사실 난 지금 이게 꿈인지 과거인지 아직 모르겠네. 어쨌든 이런 현상이 벌어진 원인은 저 회중시계가 의심스러워. 미래 물건 중 유일하게 여기로 가지고 왔거든. 그래서 자네에게 묻고 싶었네. 자네가 준 물건이니까."

"미래에서요."

"그래. 미래에서."

학장은 복잡한 눈길로 회중시계를 빤히 바라보더니 그걸 다시 들어 올리며 시계 뚜껑 뒷면에 달린 거울을 쳐다보았다.

"이 물건 때문이 맞을 겁니다. 제가 결국 이 물건을 구했나 보군요. 이 시계는 시간을 되돌려주는 마법 물품으로, 전설로 전해지는 마법 물품 중 하나지요."

"역시 마법이었나."

"기록으로는 강렬한 염원이 있어야만 사용할 수 있다고 했습니다. 제가 폐하께 유품으로 이걸 드렸다는 걸 보니, 저는 사는 동안 이걸 발동할 만큼의 염원은 없었나 보군요. 나름대로 평안한 삶이었단 거겠지요. 그렇습니까?"

소비에슈는 고개를 끄덕였다.

"사람의 속내를 다 알긴 힘들지. 누구나 힘든 일은 있고. 하지만 최소한 짐이 알기로 자네에게 큰 고난은 없었네. 자네의 자식과 손주들 모두 건강하고 영리하고 자네에게도 잘하지. 자네의 제자들은 자네를 존경했고, 자네는 많은 이들에게 사랑받았네."

학장은 흐뭇하게 웃다가, 소비에슈는 염원이 있어서 회귀했단 걸 뒤늦게 떠올리고는 얼른 정색했다.

"이 시계의 원리는, 제가 찾은 바로는…… 거울과 거울 사이에 서면 똑같은 수많은 세상이 보이지 않습니까. 그런 원리입니다. 더 복잡하게는…… 가장 머리 좋은 제자도 이해하기 힘든 내용이라 생략하겠습니다. 이게 궁금하신 게 아닐 테니까요."

"맞네. 난 여기가 진짜 과거인지, 내가 계속 이 과거에 머무를 수 있는지가 궁금하네."

"음. 정확히 말하자면 시간이 되돌려진 건 아닙니다."

"아니라고?"

"폐하의 원래 세상은 그대로 있고, 그것과 똑같은 수많은 세계 중 하나로 폐하의 의식이 연결된 거지요. 그 연결된 시간대가 폐하의 기준에서 과거인 거고요."

잠시 멍해졌던 소비에슈는 당황해서 물었다.

"그럼 이쪽 세상 소비에슈를 없애고 내가 이 몸을 차지한 건가?"

"아니요, 그런 게 아닙니다. 말 그대로 의식이 합쳐진 겁니다.

음. 이게 설명하기가 애매하긴 합니다만…… 하여튼 사라진 게 아니라 합쳐진 쪽입니다. 이쪽 세상 폐하나 저쪽 세상 폐하나 모두 폐하니까요. 즉, 폐하는 이쪽 세상의 폐하이자 저쪽 세상의 폐하이신 겁니다."

소비에슈는 솔직히 학장의 말이 거의 이해 가지 않았다.

"그럼 원래 세상의 내 몸은?"

"의식이 사라진 채 쓰러져 있을 겁니다."

소비에슈는 잠시 기절했을 때 노쇠한 카를 후작이 울면서 그의 손을 잡은 걸 떠올렸다. 그건 악몽이 아니라 현실이었던 걸까?

그 생각을 하자 소비에슈는 현실의 카를 후작에게 미안해졌다. 자신이 죽는다면 진심으로 슬퍼해줄 사람은 카를 후작뿐이었다. 하지만 소비에슈는 그렇더라도 이곳에 남고 싶었다. 카를 후작에겐 소중한 가족들이 많지만 그에겐 남은 이가 없었다.

그가 신경 쓰는 이들이 있지만, 그들은 자신이 죽는다고 해도 잠깐 애도할 뿐. 두어 시간 뒤면 맛있는 식사를 하면서 편안한 잠자리에서 자고, 다음 날에는 즐겁게 대화할 수 있는 이들이었다. 그는 이곳에 남고 싶었다.

"그렇군. 하지만 짐은 그래도 여기에 있고 싶네. 그럼 짐은 계속 여기에 머물 수 있는 건가?"

학장은 소비에슈의 얼굴에 떠오른 절박한 기운에 영문도 모른 채 마음이 아파왔다. 지금의 학장이 보기에, 소비에슈는 모든 것을 다 갖추고 있었다. 그는 가장 강대한 나라의 황제였고 비상한 머리와 건강하고 강한 육체는 물론 손꼽히게 아름다운 외모까지 가지고 있었다. 심지어 이 젊고 아름다운 황제는 목소리까지도 어느 악기보다 그윽하고 감미로웠다. 그런 소비에슈가 대체 무슨 일을 겪었길래 이 까다로운 마법 물품을 발동시킨 건가? 도무지 짐작하기 어려웠다.

"학장. 괜찮으니 말해주게. 짐이 여기에 계속 머무를 수 있겠나?"

학장은 한숨을 내쉬고서 솔직하게 털어놓았다.

"저도 문헌으로만 부분부분 보았기에 제대로 다 알진 못합니다, 폐하. 하지만 이 마법을 유지하기 위해 필요한 게 하나 더 있다고 합니다."

"염원 외에 하나 더?"

"예. 그걸 확실하게 만들어야 여기에 계속 머무를 수 있지요. 저는 그 조건이 '염원을 이루는 것'이 아닐까 생각합니다."

"만약 조건을 채우지 못한다면?"

"아마 원래 세계로 돌아가시게 될 겁니다. 그리고 두 번 다시는 이 시계를 사용할 수 없을 겁니다, 폐하. 한 번 발동된 시계는 깨어진다니까요."

학장이 돌아간 뒤에도 소비에슈는 두 손을 모아 쥔 채 회중시계만 쳐다보았다. 회중시계는 아예 움직임이 멈추어 있었다. 저게 움직이면 안 된단 걸까. 아니면 저걸 움직여야 하는 걸까. 소비에슈는 가라앉은 시선으로 시계를 보다가 욱신거리는 눈을 감았다.

'저 시계 이야기 전후쯤에 카를 후작에게 과거로 돌아가고 싶단 이야기를 했지. 내 염원은 나비에의 용서를 얻고 마음을 얻는 거다. 그렇다면 조건도 나비에의 마음을 얻는 건가? 마음을 얻지 못하면

다시 원래 세상으로 돌아가는 건가?'

소비에슈는 회중시계 뚜껑을 덮고 한 손으로 꽉 쥐었다. 차가운 금속 재질의 시계에서 따스한 열감이 느껴졌다.

학장이 돌아간 뒤. 소비에슈는 입맛이 사라져서 수프를 세 숟가락 정도 먹고 물렸다. 건강을 회복해야 한단 각오가 있으니 그나마 이 정도로 식사하는 것이었다. 아니면 소비에슈는 지금 심정으로는 아무것도 입안으로 넘기고 싶지 않았다.

그 탓일까. 소비에슈는 목욕을 하러 욕실에 들어가다가 이후 기억이 끊어졌다. 깨어났을 때는 다시 침실이었다. 며칠 전처럼 궁의와 나비에, 카를 후작이 그를 바라보고 있었다.

"폐하. 정신이 드십니까?"

카를 후작은 소비에슈가 눈을 뜨자마자 다급히 물었다. 궁의는 간청하는 목소리로 애원했다.

"폐하. 약만 잘 드시면 되는 게 아닙니다. 식사도 잘하셔야 합니다. 시종에게 들어보니 며칠간 내내 수프만 드시고 계시다고요. 안 됩니다, 폐하. 그리고 스트레스를 받으면 안 되십니다. 푹 쉬셔야 합니다."

궁의가 나간 뒤. 소비에슈는 나비에를 볼 낯이 없어서 난처하게 시선을 이리저리 돌렸다. 그때. 나비에가 뜻밖에도 카를 후작에게 지시했다.

"잠시 자리를 비켜주게."

"예? 예, 폐하."

카를 후작이 얼른 나가자 나비에는 의자를 가져다 머리맡에 두더니 앉기까지 했다. 그 믿기 힘든 광경에 소비에슈는 눈을 커다랗게 뜨고 나비에를 바라보았다.

"황후……?"

너무 놀라서 이것도 꿈은 아닐까 의심스러웠다. 그러나 나비에의 차가운 표정은 현실감 있었다. 나비에는 그런 소비에슈를 가만히 내려다보다가 그의 호흡이 편안해지자 그제야 입을 열었다.

"폐하. 어차피 저와 폐하는 사랑해서 결혼한 사이가 아닙니다."

"난 사랑하오."

"아닌 걸 압니다."

"황후. 나는……."

"언젠간 폐하께 정부가 생길지 모른다고 각오도 했습니다. 설마 이혼 이야기가 나올 줄은 몰랐지만요."

"내 잘못이오. 황후, 전부 내 잘못이오."

나오는 목소리가 너무 떨려서 소비에슈는 제대로 말을 잇지 못했다. 소비에슈는 나비에가 뿌리칠까 봐 손을 잡지도 못하고 이불자락만 움켜잡았다. 나비에는 그 손을 내려다보다가 한숨을 내쉬더니 놀랍게도 그 손을 잡아주었다.

"!"

소비에슈는 눈을 커다랗게 뜨고서 나비에를 보았다.

"황후……?"

“제 말은, 이렇게 매달리지 않아도 된단 거예요. 어차피 우리는 정략결혼을 한 사이잖아요.”

다정한 목소리로 이렇게 차가운 거절이 있을까. 소비에슈는 나비에가 잡아준 손을 간절하게 붙잡으며 말했다.

“내가 원하는 건 황후의 애정이오. 나비에, 네 애정이다.”

“!”

“언젠가 시간이 지나 나이 들어 삶을 마무리 지어가는 나이일 때, 그때도 네가 곁에 있길 바란다. 다른 사람 그 누구도 아닌 네가. 내가 원하는 건 너뿐이야, 나비에.”

나비에는 소비에슈와 손을 잡자 그의 떨림을 느꼈다. 그가 일부러 연극하는 게 아니란 걸 알자 나비에는 더욱 혼란스러워졌다. 대체 이 사람에게 무슨 일이 일어난 거지?

엘리자 백작 부인의 말처럼 그가 미치기라도 한 걸까? 로라의 말처럼 그가 정말 후회란 걸 하고 있나? 하지만 나비에는 그 짧은 순간에 그가 과연 진심으로 후회할 수 있을지 자신할 수 없었다. 그를 다시 믿었다가 또다시 이런 일이 벌어지지 않을 거라 단정할 수 있을까?

원래도 소비에슈는 그럴 사람이 아니었다. 적어도 나비에는 일이 터지기 전까지 그렇게 생각했다. 하지만 소비에슈는 나비에가 생각해보지 못한 일을 했다. 나비에는 자신의 인생 그 자체였던 황후 자리에서, 예상하지 못한 일로, 자신의 잘못이 아닌 일로 쫓겨나기 직전까지 갔다. 나비에는 다시 그런 일이 없을 거라고 이제는 믿을 수가 없었다. 하지만 분명 소비에슈는 지금은 후회하고 있었다. 어째서인지 모르겠지만 갑작스럽게.

"……."

한참의 고민 끝에 나비에는 천천히 입을 열었다.

"솔직히 지금은 무어라 답하기 어렵군요."

"지금 답하지 않아도 좋소. 10년, 20년 뒤에 해도 좋소."

"그렇다면 저도 노력해보겠어요."

소비에슈는 눈이 커다래져서 나비에를 마주 보았다.

"정말이오? 정말?"

"이미 결혼한 사이니까요. 우리 사이가 여기서 더 멀어진다 해도 이 결혼은 제가 깨지 못하고요."

허락이라 하기엔 애매한 말이었으나 소비에슈는 그 정도만으로도 입꼬리가 귀에 걸릴 듯 올라갔다. 이미 그는 수십 년을 후회하며 보냈다. 시계만 기다려준다면 그는 견딜 수 있었다. 나비에의 말처럼 아직 두 사람은 부부였으니까.

희망과 불안이 동시에 찾아왔다. 나비에는 짧은 시간에 마음을 풀지는 못했으나, 시간이 오래 걸려도 된다면 마음을 풀도록 노력해보겠다고 했다. 그러나 학장은 '이 회중시계에는 조건이 있어서 그걸 채우지 못하면 현실로 돌아갈 것'이라고 한다. 이 두 조건은 완전히 충돌하는 조건이었으나, 소비에슈로서는 양쪽으로 손을 뻗어 어떻게든 버둥거릴 수밖에 없었다.

다음 날 아침. 소비에슈는 여전히 입맛이 없었으나 게살 샌드위치와 계란 샌드위치를 하나씩 먹고 샐러드까지 반 접시 먹었다. 어떻게 해서든 기력을 길러야 했다. 시간이 부족한데 침대에서 앓아누워 있을 수는 없었다. 이후 소비에슈는 힘을 내서 식사를 마치고 속이 더부룩해서 잠시 산책하러 밖으로 나갔다. 그러고서 잠시 동궁 주위를 돌아보는데 랑트 남작이 이쪽으로 빠른 걸음으로 다가왔다.

"무슨 일인가?"

소비에슈는 벤치에 앉으면서 물었다. 다가온 랑트 남작이 빠른 목소리로 말했다.

"폐하. 라스타 양이 몸이 많이 아픕니다!"

"아프다니?"

"모르겠습니다. 배가 아프다고 계속 끙끙 앓고 있습니다."

소비에슈는 이 시기 라스타가 아팠나 떠올려보았다. 그랬진 않았던 것 같다. 그가 알기로 이혼이 성사된 이 시기의 라스타는 황후가 되어서 막 행복의 절정에 도달해 있을 때였다. 그 외의 소소한 부분은 기억력이 좋은 그이지만 잘 떠오르지 않았다. 아무래도 시간이 많이 지났다 보니 자주 후회하고 자주 떠올린 사건들은 비교적 기억에 잘 남아 있는 반면 소소하게 넘어간 사건은 생각나지 않는 부분도 많았다.

"가보지."

어쨌든 이미 글로리엠을 임신한 라스타를 그대로 방치할 수는 없었다. 소비에슈는 랑트 남작을 따라갔다. 라스타가 머무는 방에 들어가니, 깨끗한 은발이 침대 베개에 부채꼴 모양으로 펼쳐져 있고 배를 감싸고 인상을 찡그린 라스타가 보였다.

"폐하……."

소비에슈가 다가가자 라스타는 찌푸리고 있던 눈살을 풀더니 울먹이며 불렀다.

"라스타가 많이 아파요. 라스타를 도와주세요."

라스타는 겉보기에 정말로 몸이 좋지 않아 보였다. 소비에슈는 심장이 철렁해서 랑트 남작에게 물었다.

"궁의는?"

원래는 없던 일이지만 그가 가장 큰 사건인 이혼을 멈추었고 에르기 공작이 라스타에게 접근하지 못하도록 막았다. 하인리 왕은 여기에 계속 머무는지 돌아갔는지 모르겠으나, 공식적으로 온 게 아니다 보니 모습을 드러낼 수 없는 상황이었다. 이미 커다란 변화가 몇 차례 벌어진 셈이다. 단순히 그와 나비에의 관계만이 아니라 거기에 이어진 다른 미래도 모두 변한 게 당연했다.

"죄송합니다, 폐하. 라스타 양이 궁의가 오면 쓴 약을 먹어야 하는 게 싫다고 해서요. 폐하를 뵈면 괜찮아질 거라고 해서……."

랑트 남작은 소비에슈의 표정이 싸늘해지자 얼른 돌아서서 뛰어갔다. 라스타는 눈시울을 붉히고서 소비에슈에게 팔을 뻗었다.

"랑트 남작님한테 화내지 마세요, 폐하. 라스타가 궁의를 불러오지 말라 한 거예요. 라스타가 왜 아픈지는 라스타가 잘 알아요."

시무룩한 라스타는 처연하게까지 보였다. 소비에슈는 탑에서 죽어 있던 그녀의 시체가 갑자기 눈앞에 떠올라 잠시 눈을 감았다.

"폐하?"

라스타는 의아한 목소리로 물었다. 소비에슈는 라스타가 팔을 잡으려 했으나 뒤로 자연스럽게 빼내며 당부했다.

"몸이 좋지 않으면 의사를 불러야 한다, 라스타. 나는 의사가 아니니 널 치료해줄 수 없다."

"하지만…… 폐하가 라스타를 잘 살펴주시면 되잖아요. 그러면 라스타가 아픈지 아닌지 보고서 궁의를 불러주실 수 있잖아요? 라스타는 폐하가 쓴 약을 먹으라고 하면 먹을 수 있어요!"

"궁의의 말을 어기고 약과 식사를 제대로 챙겨 먹지 않아서 최근에 짐도 잔소리를 한바탕 들었다."

라스타는 눈을 동그랗게 떴다.

"폐하도요?"

"그래. 이런 일은 궁의가 가장 잘 알아. 그러니 몸이 좋지 않으면 랑트 남작이든 시녀든 하녀에게든 궁의를 불러달라고 해라. 알았느냐."

라스타는 입술을 삐죽 내밀지만 고개를 끄덕이긴 했다. 소비에슈는 궁의가 와서 라스타에게는 아무런 문제가 없단 진단을 내리자 그제야 자리를 벗어났다.

찬 바람이 계속해서 불고 날씨도 쌀쌀하기 때문인지 유독 감기에 걸린 궁인들이 많았다. 소비에슈는 전에는 이혼 후 난데없이 하인리 왕이 나타난 일로 그런 데 신경 쓸 겨를이 없었다. 남들이 추위에 떨고 있을 때 그는 혼자 분노로 온 정신이 뜨거웠던 탓이었다. 그러나 지금 동궁에 돌아가며 보니 여기저기에서 기침하는 사람이 많았다.

"카를 후작."

"예, 폐하."

"서궁이 춥지 않도록 사람을 보내서 보수할 곳은 보수하고, 혹시 추가로 설치할 게 있으면 설치하라 이르게."

"예, 폐하."

카를 후작은 소비에슈를 감동한 눈으로 바라보았다. 소비에슈는 아무것도 못 본 척 다급히 계단을 올라갔다.

그날부터 소비에슈는 나비에가 본궁에 갈 시간을 맞추어 나가 일부러 같이 걸어가고, 나비에가 서궁으로 돌아갈 때 역시 시간을 맞추어 나가 같이 걸어갔다. 회의 때 혹시 나비에가 함께 참석하게 되면, 일부러 보란 듯 '우리 황후' '우리 영민한 황후' '역시 황후' 같은 단어를 사용해서 대신들이 이번 이혼 사태로 만에 하나라도 나비에를 우습게 여기지 못하도록 연거푸 눈치를 주었다.

하지만 너무 눈에 띄게 이랬더니, 소비에슈는 결국 저녁 무렵 동궁과 서궁 갈림길까지 나란히 걸어갈 때 나비에에게 한 소리를 듣게 되었다.

"앞으론 회의장에서 제게 영민하다거나 '역시'란 단어는 쓰지 마세요."

"왜 그렇소?"

"……쓰지 마세요."

소비에슈는 그 말을 존중해서 이후로는 나비에가 없는 장소에서만 그런 단어를 사용했다.

나비에와 다시 가까워질 기미는 보이지 않았지만, 그렇게 소비에슈의 일상은 조금씩 희망에 물들어가기 시작했다.

하지만 모든 일이 좋게 풀리는 건 아니었다. 그에게도 난처한 사안이 몇 가지 있었는데, 그중 가장 곤란한 건 하루나 이틀 걸러 아프다며 그를 불러대는 라스타였다. 사람을 시켜 라스타가 본궁에 오지 못하게 막은 덕에 본궁에 오가는 길에 그녀에게 붙들리는 일은 사라졌다. 그러자 라스타는 이번에는 몸이 아프단 핑계로 그를 불러대기 시작했다.

"폐하…… 라스타 머리가 아파요. 배도 살짝 아프고요."

만약 라스타가 완전히 꾀병을 부리는 거라면 소비에슈도 부를 때마다 가진 않을 것이었다. 하지만 궁의에게 물어보니, 라스타가 과하게 표현하고 있긴 하지만 살짝 아픈 건 맞다고 했다. 그러니 소비에슈는 라스타가 아프다고 할 때마다 안 갈 수가 없었다.

그러던 어느 날. 업무를 마친 소비에슈가 나비에와 같이 돌아가기 위해 평소처럼 갈림길을 서성거리고 있을 때였다. 뜻밖에도 로라가 나타났다.

"로라?"

평소 본궁에 오던 아이는 아니라 놀라 묻자 로라는 힐긋힐긋 뒤를 돌아보며 다가와 알렸다.

"폐하. 폐하. 황후 폐하께서 몸이 안 좋아서 오늘 업무를 빨리 끝내고 돌아오셨어요. 몸살이 나서 지금은 약 드시고 쉬고 계세요."

"정말이냐?"

로라는 고개를 끄덕이고서 소비에슈를 빤히 바라보았다. 소비에슈는 나비에가 자신이 아프단 이야기를 자신에게 전하지 말라고 했음을 짐작했다. 그래서 업무하는 내내 그 이야기가 그의 귀에까지 들려오지 않은 것이다. 어째서인지 그를 조금 동정해주는 로라만이 이 이야기를 해주는 것이고.

"알려줘서 고맙다."

소비에슈는 말하자마자 다급히 서궁으로 뛰어가기 시작했다.

"폐하? 폐하!"

놀란 호위들은 뒤늦게 그를 쫓아왔다. 하지만 소비에슈는 검술이나 체술은 상당한 솜씨를 지니고 있었다. 황자 시절 그의 검술 스승이 '재능과 골격 모두 타고났다'고 칭찬할 정도였다. 소비에슈가 작정하고 뛰기 시작하자, 기사들은 쉽게 황제를 따라잡지 못했다. 설령 따라잡을 수 있다 해도 호위들은 황제의 앞을 가로막을 순 없었다.

서궁에 도착한 소비에슈는 다급히 계단을 올라가 황후의 방문을 열었다. 응접실에 모여 있던 시녀들은 황제가 돌연 나타나자 놀라서 인사했다.

"황제 폐하를 뵙습니다."

"황후는?"

소비에슈의 다급한 말에 시녀들은 '로라 짓이구나' 하는 표정을 지었다. 안 그래도 그녀가 갑자기 어디론가 슬쩍 가버려서 다들 '로라 어디 있어?' 하고 찾고 있었던 것이다.

소비에슈는 엘리자 백작 부인을 보았다. 엘리자 백작 부인은 어쩔 수 없이 털어놓았다.

"궁의 말로는 연이은 사건들로 피로가 누적되다가 이번에 감기에 걸리면서 겹쳐서 터졌다고 합니다. 큰 병은 아니니 2, 3일 정도 푹 쉬면 괜찮아질 거라 하였지요."

"약은?"

"정량대로 드시고 지금은 잠드셨습니다, 폐하."

오늘은 거짓말로 잠든 게 아니라 진짜로 잠든 것이다. 시녀들이 나비에 침실에 확인하러 들어가지 않고 바로 말하는 걸 보면 확실했다. 소비에슈는 붉은 벨벳 소파로 걸어가 그곳에 자리를 잡고 앉았다.

"!"

황제가 당연히 나갈 줄 알았던 시녀들은 당황해서 서로를 쳐다보았다. 그사이. 소비에슈와 기사들보다 뛰는 속도가 느렸던 로라는 이제야 도착해서 숨을 헐떡였다. 로라는 소파에 앉은 소비에슈를 보자 숨차 하면서도 뿌듯하게 웃다가, 아르티나 부단장의 서릿발 같은 시선을 받자 얼굴이 빨개져서 시선을 피했다.

엘리자 백작 부인은 애써 미소 지으며 소비에슈에게 말했다.

"폐하. 황후 폐하께서 깨어나면 사람을 보내 알려드릴 테니 그만 돌아가시지요. 근래에 폐하께서도 앓고 일어나셨지 않습니까."

소비에슈는 고개를 젓고 단호하게 말했다.

"황후가 일어나서 궁의에게 진찰받는 걸 보고 가겠다."

일어날 때까지도 아니고 궁의에게 진찰받는 것까지 보고 간다고? 시녀들은 순식간에 눈 밑이 퀭해졌다.

하지만 새벽 무렵. 당직이 아닌 시녀들이 다 들어가고 당직인 시녀도 꾸벅꾸벅 졸고 있는데도 소비에슈 황제가 혼자 부엉이처럼 눈을 뜨고서 소파에 꼿꼿하게 앉아 있는 모습을 보자, 결국 시녀들은 인정하고 말았다. 황제가 미쳤든 제정신이든 한때든, 최소한 지금은 진심으로 후회하고 있다고.

새벽 4시. 아직 하늘은 어두웠고 햇빛은 흔적도 보이지 않았다. 소비에슈는 미동도 하지 않고서 닫힌 문만 쳐다보았다. 시녀들은 물론 기사들까지도 그런 황제를 경악해 힐긋거렸다. 하지만 소비에슈는 후회하는 시절 동안 제자리에서 꿈쩍도 하지 않고 며칠을 버틴 적도 있었다. 가만히 있는 건 어렵지 않았다. 이 끝에 누군가 있기만 하다면.

얼마나 그러고 있었을까? 누군가 응접실 문을 두드렸다. 문을 열고 들어온 사람은 랑트 남작이었다.

"폐하."

랑트 남작은 소비에슈를 발견하자 다급히 곁으로 와 말했다.

"라스타 양이 지금 많이 아픕니다. 폐하를 찾는데요."

그 말에 시녀들은 동시에 랑트 남작을 죽여버리겠단 눈으로 쳐다보았다. 랑트 남작은 목을 움츠리고서 슬쩍 몸을 뒤로 뺐다.

그러나 랑트 남작이 부르면 늘 따라와주던 소비에슈는 오늘은 망설이지도 않고 고개를 저었다.

"황후도 몸이 좋지 않다. 오늘은 황후를 살펴야 하니 라스타 곁에는 너와 베르디 자작 부인이 있어주어라."

"하지만……."

랑트 남작은 송곳 같은 시녀들의 눈길을 받고서 마지못해 대답했다.

"예. 그러겠습니다."

랑트 남작이 나가자 시녀들은 몇 시간 전보다 한결 부드러워진 눈길로 소비에슈를 바라보았다. 둘이 같이 아픈 상황에서 소비에슈가 나비에를 선택하자 그에 대한 점수가 조금 올라간 듯했다. 소비에슈는 사방에서 쏟아지는 그 부담스러운 시선들에 처음으로 자세가 흐트러졌다.

그때 문 안쪽에서 작게 종 흔드는 소리가 났다. 소비에슈는 벌떡 몸을 일으켰다가 엘리자 백작 부인이 고개를 젓자 엉거주춤 도로 앉았다. 엘리자 백작 부인은 문을 열고 자신이 들어갔다.

잠시 뒤. 엘리자 백작 부인은 밖으로 나오더니 소비에슈에게 말했다.

"황제 폐하. 황후 폐하께서 안으로 들어오시랍니다."

소비에슈는 얼른 침실 안으로 들어가 침대로 다가갔다. 나비에는 식은땀에 잔머리가 촉촉해진 채 누워 있다가 그가 유령처럼 다가오자 가볍게 웃었다.

"황후. 괜찮소?"

소비에슈는 얼른 머리맡에 다가가 물었다. 반사적으로 나비에의 손을 잡으려 했으나 손이 이불 안에 있어서 잡을 수가 없었다. 소비에슈는 손을 어색하게 내리면서 나비에를 보았다. 나비에는 그런 소비에슈를 같이 바라보다가 말했다.

"밤새도록 응접실에 계셨다고요."

"황후가 걱정되었소."

"중병도 아닌걸요. 몸살감기일 뿐입니다."

"몸살감기는 안 아프오?"

나비에는 소비에슈를 잠시 말없이 바라보더니 묘한 미소를 지었다. 그게 무슨 의미인지 몰라 넋을 놓고 있자니, 나비에가 작게 중얼거렸다.

"그냥 며칠 잠깐 이러시다 그만둘 줄 알았습니다."

"아니오."

"지금도 그렇게 생각합니다."

"나비에……."

"하지만 조금은. 진심이신 걸까 생각하게 되는군요."

소비에슈는 나비에를 간절하게 바라보았다. 나비에에게 자신이 겪은 것을, 자신의 마음을, 죄다 보여줄 수 있다면 그녀가 말을 믿을까? 하지만 나비에가 그의 기억을 모두 알아버리면 서대제국에

서의 황후 시절이 더 마음에 든다고 떠나고 싶어 할지도 모르겠다.

소비에슈는 이런 걸 계산하는 스스로에게 떳떳하지 못한 기분이 들어 표정이 어두워졌다. 나비에는 그런 소비에슈를 물끄러미 바라보다가 말했다.

"폐하도 저도 둘 다 건강한 사람들인데 동시에 아프게 되었군요. 어쩌면 우리 둘 다 휴식이 좀 필요할지도 모르겠습니다."

"좀 쉬시오. 황후 일은 내가 하겠소."

"근처 별궁에서 일주일 정도 요양하다 올까요?"

소비에슈는 자신이 뭘 잘못 들었다고 생각했다. 다음으로는 소비에슈는 나비에가 자신을 비꼬기 위해 한 말인가 겁이 났다. 그러나 나비에는 그런 기색은 없었다. 그걸 눈치채자 소비에슈는 빠르게 고개를 끄덕였다. 빠른 대답을 본 나비에는 고개를 한 번 같이 끄덕이고서 이불 안으로 약간 더 몸을 밀어 넣으며 말했다.

"그러면…… 같이 날짜를 맞추어봐요."

짐을 싸는 소비에슈의 손길은 너무 조급해서 보는 사람이 걱정스러울 정도였다. 카를 후작은 소비에슈가 직접 짐을 싸겠다고 나서자 뒤에 한 발자국 떨어져서 초조하게 그 광경을 지켜보았다.

간섭하고 싶은 게 한가득했다. 하지만 황후와 별궁에 다녀올 거라고 들떠 있는 황제에게 별궁에도 있을 건 다 있으니 그냥 몸만 가시란 말은 하기가 어려웠다.

'폐하도 아시면서.'

그래도 카를 후작은 입꼬리가 올라간 채 들뜬 소비에슈를 보자 황태자 시절이 떠올라 덩달아 기분이 좋아졌다.

이틀에 걸친 준비가 끝나자, 소비에슈는 나비에와 함께 별궁으로 이동하게 되었다. 혹시 마차를 같이 타고 가진 않을까 소비에슈는 조금 기대했으나 나비에는 그런 부분에서는 가차 없었다.

"그럼 도착해서 뵙지요."

나비에는 그렇게 인사하고서 먼저 마차에 오르더니 쌩하니 떠나버렸다. 소비에슈는 떠나는 마차 꽁무니를 울적하게 바라보다가 이럴 때가 아니다 싶어서 자신도 얼른 마차에 올랐다. 혹시 별궁에 간 사이 그 바람둥이 왕자가 나비에에게 접근할지 몰랐다. 얼른 따라가서 한시도 떨어져 있지 말아야 했다.

"얼른 가자. 얼른."

소비에슈가 마차에 오르자, 카를 후작은 흐뭇하게 웃으면서 손을 흔들었다.

"잘 다녀오십시오, 폐하."

"급한 소식이 있거든 알리게."

"그럼요. 열두 시간 거리 아닙니까."

마부가 마차를 몰기 시작하자 소비에슈는 창문을 활짝 열고서 거리를 바라보았다. 차가운 바람 사이사이로 활기찬 거리의 냄새가 들어왔다. 소비에슈는 마음이 설레와서 저도 모르게 입가에 미소를 띠었다.

회중시계는 계속 멈추어 있고 나비에는 그에게 조금이지만 기회를 주려고 한다. 이렇게 행복한 시간은 몇십 년 만에 처음이었다.

별궁에 도착하자마자 소비에슈는 마차에서 내려 나비에를 찾았다.

"황후는?"

별궁 관리 책임자에게 묻자, 관리인은 하인이 말 두 마리의 고삐를 잡고 이동하는 걸 가리키며 말했다.

"황후 폐하께서는 10분 정도 먼저 도착하셨습니다. 방에서 쉬고 계실 겁니다, 폐하."

소비에슈는 가방을 정리하라고 눈짓하고서 바로 나비에가 머무는 방으로 가보았다. 문을 노크하자 잠시의 침묵 뒤. 문이 직접 열렸다. 문고리를 잡고 나타난 이는 나비에였다.

"황후."

얼굴을 마주하자마자 바로 부르자 나비에는 그를 잠시 조용하게 쳐다보다가 문고리를 놓고 돌아섰다.

"들어와요. 하녀들이 방 정리를 하고 있어서 먼지가 좀 날리겠지만요."

방 안은 이미 황제 부부가 일주일 머물다 간다는 이야기에 깨끗하게 치워져 있었다. 그러니 짐을 정리하는 데 먼지가 날릴 리가 없었다. 그러나 소비에슈는 하나하나 따지는 대신 순순히 나비에를 따라 들어갔다.

별궁에서 일하는 하녀들은 호기심 어린 눈길로 그 모습을 지켜보았다. 최근에 이혼 직전까지 갔다던 황제 부부의 분위기가 생각보다 나쁘지 않자 신기했다.

"앉겠어요?"

"그러겠소."

소비에슈는 이곳에 오자 좋은 추억과 나쁜 기억이 동시에 떠올랐다. 주춤주춤 자리에 앉은 소비에슈는 나비에와 함께 온 주베르 백작 부인이 차를 가져오자 받아 들었다.

"황후는?"

"전 한 잔 먼저 마셨어요."

소비에슈는 고개를 끄덕이고서 후후 불어 차를 마시다가 슬금슬금 올라오는 미소를 감추려 찻잔에 반쯤 입가를 감추었다.

"황후. 같이 승마라도 할까? 어떻소?"

"내내 마차를 타고 와서요?"

"모레나…… 그쯤에."

"궁의가 반드시 푹 쉬고 오라고 했어요. 무리하지 말고 쉬다 가지요."

"황후 말이 옳소."

주베르 백작 부인은 어처구니가 없어서 크게 웃을 뻔했다. 그녀는 더 견디지 못하고 다급히 밖으로 나가 소리가 들리지 않을 곳에 가서야 배를 잡고 웃어댔다. 지금 시녀들 사이에서는 엘리자 백작 부인의 '황제가 미쳤다'는 가설이 가장 큰 지지를 받고 있었다.

그날 밤. 나비에는 하인리 왕이 자신이 보낸 사과 편지를 받았을지 궁금해했다. 이혼 직후 그녀가 재혼을 신청하면 모습을 드러내기로 했던 하인리 왕은 갑자기 이혼이 거두어지면서 모습을 드러내기 어려워졌다. 원래도 공식적으로 온 게 아니다 보니 더욱 그랬다.

이에 사태가 진정될 즈음, 나비에는 그에게 사과하는 편지를 써서 보냈다. 하지만 아직 답서가 없다 보니 그가 아직도 이곳에 있는 건지 아니면 돌아간 건지 의아해졌다. 그러다 나비에는 새가 구슬프게 우는 소리를 듣고 일어났다.

'퀸?'

목소리가 퀸 같았다. 혹시 전처럼 '퀸'이 온 걸까 생각하며 창가로 가보니, 꽤 퀸과 흡사해 보이는 새가 뛰어서 달아나고 있었다.

'왜 새가 뛰어서……?'

그리고 그 뒤를 역시 낯익은 파란 새가 부리나케 쫓아가고 있었다.

'무슨 광경이지?'

꼭 동화 같은 광경에 어리둥절해하던 나비에는 찬 바람이 들어오며 기침이 나자 창문을 닫고 커튼을 쳤다. 나비에는 그만 자기 위해 침대 안으로 들어가려다가 문득 소비에슈가 응접실 소파에서 밤새 그녀가 괜찮은가 기다렸던 이야기가 떠올랐다.

'대체 왜 그러는 걸까.'

생각하던 나비에는 잠이 오지 않자 바람을 쐬기 위해 망토를 걸치고 침실 밖으로 나갔다. 그런데 뜻밖에도 이어진 응접실 소파에 소비에슈 황제가 옆으로 누워 잠들어 있었다. 나비에는 기가 막혀서 그 모습을 보다가 깨우기 위해 다가갔다. 그러나 그를 흔들기 위해 허리를 굽힌 나비에는 소비에슈의 눈가부터 볼에 난 눈물 자국을 보고 멈칫했다.

'울었나? 대체 왜?'

나비에는 소비에슈가 왜 우는지 전혀 이해가 가지 않았다. 자신 때문에 울 것 같진 않았다. 그럼 라스타 때문일까? 아니면 다른 이유가 있나? 라스타 배 속의 아이?

의아해서 바라보다가, 일단 나비에는 여기서 자면 안 된다고 그를 깨우려 손을 뻗었다. 그러나 손이 닿기 전 소비에슈의 눈에서 다시 눈물이 흘러내리더니 작고도 절박한 목소리가 흘러나왔다.

"나비에…… 나비에. 돌아와. 미안해. 나비에. 떠나지 마."

"!"

잠결에 중얼거리는 듯 중간중간 이해하기 힘든 소리도 들려왔으나 대부분은 그녀의 이름과 돌아오라는 애원, 미안하다는 사과였다. 그 소리를 듣자 나비에는 더욱 이해할 수 없어졌다.

'정말로 내게 미안한 거야?'

그가 자신에게 미안할 일이 없단 건 아니었다. 하지만 반성의 기미라고는 손톱만큼도 없던 그가 난데없이 이렇게 절박하고 간절하게 애원하는 게 믿기지 않았다.

대체 무엇이 그를 이렇게 만들었을까? 착잡한 눈으로 그를 바라보던 나비에는 한숨을 내쉬고서 방으로 돌아가 이불을 가져와 그에게 덮어주었다. 소비에슈는 미약하게 신음하면서 몸을 돌렸다. 그 바람에 볼과 눈가의 눈물이 머리카락과 얽히며 흐트러졌다. 나비에는 조심스레 손을 뻗어서 그 머리카락을 뒤로 넘겨주었다.

'소비에슈. 우리가…… 정말 예전으로 돌아갈 수 있을까? 둘이서 같이 나무를 심은 그날처럼?'

눈꺼풀 위로 하얗게 번져오는 빛에 소비에슈는 눈살을 찌푸리고서 몸을 일으켰다. 그러다 소비에슈는 자신이 덮고 있는 이불을 발견하고서 눈이 커다래졌다. 이 이불은 어젯밤 나비에의 침실에 들어갔을 때 본 그 이불이었다.

'나비에가 덮어준 건가?'

소비에슈는 벅차오르는 기분에 이불을 끌어안고서 일어났다. 거의 동시에 나비에가 방 밖으로 나오더니 그를 보고서 차갑게 말했다.

"앞으론 방 안에서 자도록 해요."

"같, 같이 말이오?"

"폐하의 방에서요."

"아."

"몸이 안 좋아서 와놓고, 그러면 더 몸이 안 좋아집니다."

"알겠소. 하지만 오늘은 당직하는 시녀들도 없으니 황후가 아프면 달려갈 사람이 없지 않소. 그래서 여기서 잠깐 대기하려다가…….”

“아프면 하녀들을 부르면 돼요. 그러라고 종이 달려 있고요.”

“그렇지. 그렇지. 맞소.”

소비에슈는 무작정 동의하다가 나비에가 어이가 없다는 듯 미소 짓는 걸 보자 저도 모르게 입꼬리를 올리고 말았다. 바보같이 보이고 싶지 않았으나 그녀의 태도에 희망이 조금 샘솟고 말았다.

그때. 복도 쪽에서 쿵쿵거리는 발소리가 나더니 쾅 문이 열리며 카를 후작이 들어왔다.

“무슨 일이냐.”

그 다급한 태도에 소비에슈가 아까의 쑥스러움을 벗고서 묻자, 카를 후작이 창백해진 얼굴로 보고했다.

“폐하. 라스타 양이 너무 심하게 앓아서 유산할 수도 있다 합니다!”

“!”

소비에슈는 카를 후작을 잠시 악몽처럼 쳐다보다가 뒤늦게 외쳤다.

“그게 무슨 소리냐? 분명 궁의가 큰 병이 아니라 했을 텐데?”

“예. 그랬지요. 그런데 라스타 양이 폐하가 황후 폐하와 단둘이 별궁에 갔단 이야기를 듣자마자 두 끼를 거르고 울고불고 대성통

곡을 몇 시간이나 해대더니 갑자기 사태가 이렇게 됐답니다."

카를 후작은 좀 화난 듯 말하는 중간중간 목소리가 굵어졌다.

소비에슈는 이를 갈면서 나비에에게 본궁에 다녀와야겠단 말을 하기 위해 돌아섰다. 그러나 돌아서는 것과 동시에 나비에가 말했다.

"함께 가지요."

하인들이 급하게 말을 내오고 마차에 묶었다. 카를 후작은 자신이 타고 온 말이 다시 열 시간이 넘게 뛰게 할 수 없기에 황제 부부와 같은 마차에 올랐다.

까만 마차가 다급히 아침 거리를 달려갔다. 반쯤 열린 창문 너머에서는 아침의 신선한 공기가 들어왔으나 소비에슈는 별궁에 올 때와 달리 희망을 느낄 수 없었다.

'만약 글로리엠이 잘못되기라도 한다면…….'

소비에슈는 이마를 짚고 눈을 질끈 감았다. 라스타가 얼마나 충동적인 사람인지 알면서도 에르기 공작과 로테슈 자작의 접근을 막아내면 그걸로 될 거라고 생각한 자신이 한심스러웠다.

길고 긴 이동 끝에 마침내 본궁에 도착하자 소비에슈와 나비에, 카를 후작은 별관으로 달려갔다. 별관 안 원형의 침실로 들어서자, 라스타가 새하얀 침대에 축 늘어져 있고 앞에 궁의가 서 있었다. 라스타는 인기척을 듣고 힘없이 눈을 뜨더니 소비에슈를 발견하자마자 울음을 터트렸다.

"폐하. 폐하!"

라스타의 목소리는 얼마나 애처롭던지 근처에 서 있던 궁의까지 눈시울이 붉어질 정도였다. 라스타는 소비에슈에게 팔을 벌리며 외쳤다.

"폐하, 우리 아기가 죽을 수도 있대요. 우리 아이가 잘못되면 어떡해요? 폐하!"

펑펑 우는 라스타를 보던 나비에는 돌아서더니 밖으로 나가버렸다. 소비에슈는 그 뒤를 따라 나갔지만 문가에서 가로막혔다. 나비에는 그의 앞에 손을 올려 멈추게 하고서 싸늘하게 말했다.

"라스타 양도 싫고 배 속의 아기도 마음에 들진 않지만 그렇다고 이미 생긴 아이를 이대로 죽일 수는 없겠지요. 들어가보세요."

"하지만……."

나비에는 대답을 듣지 않고서 돌아서서 가버렸다.

단호하게 멀어지는 뒷모습을 보던 소비에슈는 그 순간 가슴 부근에서 찰칵거리는 초침 소리를 느꼈다. 처음 과거로 왔을 때. 그 법정에서 대신관과 나비에를 앞에 두고 들었던 바로 그 소리였다. 소비에슈는 품 안에서 회중시계를 꺼내 보았다. 내내 멈춰 있던 회중시계의 초침이 한 칸씩 한 칸씩 이동하고 있었다.

'어째서……?'

소비에슈는 망연자실한 눈으로 시계를 바라보다가 시계 끄트머리에 새겨진 희미한 표시를 발견했다. 없던 숫자가 쓰여 있었다. 그 부분을 자세히 살핀 소비에슈는 시계를 움켜쥐고서 이마를 문틀에 기댔다.

'시간이…… 열두 시간밖에 남지 않았다.'

"폐하께서 오시니 상태가 많이 안정되었습니다. 다행입니다."

궁의는 라스타의 입술 혈색이 돌아온 걸 보며 진심으로 안도해 중얼거렸다. 만약 아기가 잘못되기라도 했다면 라스타가 가벼운 감기일 뿐이라 말했던 그는 정말 억울해졌을 것이다.

그러나 소비에슈는 라스타가 괜찮아졌단 말을 듣고서도 표정이 펴지지 않았다. 몸은 이곳에 있지만, 마음은 이미 붕 떠 있었다.

"폐하. 아기가 괜찮아졌다니 라스타는 너무 행복해요."

반면 라스타는 베르디 자작 부인이 머리카락을 빗겨줄 동안 배를 손으로 감싸고서 귀엽게 소곤거렸다.

"아기가 태어나면 폐하, 어떤 옷을 입힐지 생각해봤어요. 아기 교육을 어떻게 하는 게 좋을지도 생각해보고 있어요. 아기는 폐하를 닮든 라스타를 닮든 아주 사랑스러울 거잖아요."

두 볼이 사과처럼 빨개진 라스타는 분명 사랑스러운 모습이었다. 그러나 넋이 나간 채 시계 소리에만 몰두하던 소비에슈는 라스타가 그 아름다운 모습으로 자신을 올려다보는 순간. 마침내 결정을 내렸다.

'시간이 없다.'

그에겐 시간이 없었다. 여기에 남기 위한 그 추가 조건이 무엇인지는 잘 모르겠지만, 그 조건도 아까 나비에가 떠나는 순간 깨져버렸다. 이제 열두 시간 뒤면 그는 나비에에게 용서받을 기회가 사라지고 이제 다시 그녀가 없는 곳으로 가야 했다. 아무도 곁에 없는 그곳으로.

'학장이 그랬지. 내 의식과 이곳의 내 의식이 합쳐진 거라고. 그렇다면 마법이 풀리면 나는 원래의 내가 되고, 원래 이곳 세계의 의식은 여기에 남는 건가?'

소비에슈는 그때도 지금도 학장의 이론을 다 이해하지 못했다. 하지만 최소한 자신이 떠난 뒤에도 이 세계가 계속 흘러간다면 떠나기 전에 자신이 마무리를 짓고 가야 한단 건 알았다. 자신의 과거와 똑같은 이쪽 세상의 소비에슈가 그가 사라진 뒤 바보 같은 짓을 해버리기 전에.

소비에슈는 그 생각을 하자마자 카를 후작과 궁의, 베르디 자작 부인을 물렸다.

"왜 그러세요, 폐하?"

라스타는 아무것도 모르고서 빛나는 눈으로 그를 바라보았다. 소비에슈는 라스타의 침대 머리맡에 앉아서 천천히 입을 열었다.

"라스타."

"네, 폐하."

"노예 문서는 찾아내서 없앨 거고."

"폐하……?"

"로테슈 자작이 알렌과 네 사이 일로 널 괴롭히지 못하도록 막아줄 거다. 따로 조처해둘 테니, 혹시라도 그자가 네게 접근한다면 절대로 휘둘리지 마라. 그 일은 짐이 해결할 거다."

라스타는 눈을 커다랗게 뜨고서 소비에슈를 바라보았다.

"폐하가…… 그걸 어떻게……."

라스타는 괜히 이리저리 허둥거리다가 다시 배를 감싸 안았다. 소비에슈는 그녀가 아프다며 비명을 지르기 전에, 빠르면서도 진지하게 덧붙였다.

"라스타. 아이가 태어나고 이후 안정되면 너와 아이는 별궁이나 수도 저택에서 지내는 게 좋겠다."

라스타는 안 그래도 큰 눈이 더욱 커다래져서 소비에슈를 바라보다가 물었다.

"폐하가 황후랑 같이 갔던 그 별궁이요?"

"아니. 그보다 좀 더 넓은 별궁."

라스타는 안색이 창백해져서 눈동자가 떨렸다.

"알렌과의 일 때문이에요? 하지만 폐하, 라스타는 그 작자는 이젠 증오해요!"

"그자 때문이 아니다."

소비에슈는 라스타를 잠시 바라보다가 그의 시간대에서 라스타가 내내 묻고 묻던 질문에 대답해주었다.

"내가 사랑하는 사람은 황후다, 라스타."

"그럼 라스타는요? 라스타는요?"

"이미 우리 사이에 아이가 생긴 이상 너는 짐이 책임질 거다. 하지만 그 방식이 사랑은 아닐 거다."

무너져 내릴 듯 우는 라스타를 보자 소비에슈는 아픈 사람 앞에서 무슨 말을 하는 건가 싶어 덩달아 마음이 좋지 않았다. 시간이 넉넉하다면 우선 그녀가 회복되기를 기다렸다가 말할 것이다. 하지만 지금은 그럴 시간이 없었다.

게다가 소비에슈는 이제 완전히 깨달았다. 원하는 것을 모두 가지는 행운이 올 때도 있지만, 그럴 수 없다면 하나는 포기할 수 있어야 했다. 소비에슈는 밖으로 나가며 랑트 남작과 베르디 자작 부인에게 지시했다.

“옆에서 잘 다독이고 챙겨주어라.”

소비에슈는 자신은 곧장 서궁으로 가보았다. 이곳에서 사라지기 전 마지막 시간을 나비에와 함께하고 싶었다. 하지만 서궁에는 나비에가 없었다. 시녀들은 영문을 모르겠단 듯 대답했다.

“황후 폐하께서는 아까 잠깐 돌아오셨다가 도로 나가셨습니다, 폐하.”

소비에슈는 심장이 철렁했다.

‘혹시 별궁으로 돌아갔나?’

별궁까지는 가는 데만 열두 시간. 아마 그는 가는 도중 사라지고 말 것이다. 불안해진 소비에슈는 다급히 황실 마차를 관리하는 곳으로 갔다. 그러나 관리인은 고개를 젓고 대답했다.

“최근 서너 시간 안으로 빠져나간 마차는 없습니다, 폐하.”

마구간으로 가도 마찬가지. 나비에가 타는 말은 그 자리에 있었다. 별궁으로 돌아간 건 아니란 것이다.

“카를 후작. 사람을 풀어 황후를 찾게.”

소비에슈는 자신의 발로 뛰어다니다가는 시간이 부족할 듯하자 결국 사람을 풀었다. 그래놓고 그 역시도 여기저기 돌아다녔으나 나비에는 전서조를 기르는 곳에도, 화원에도, 정원에도, 분수대가 있는 곳에도, 에르기 공작이 머무는 남궁에도, 본궁 어느 곳에도 없었다.

한참을 뛰어다니던 소비에슈는 기침이 계속해서 터져 나와서 벽을 짚고 숨을 골랐다.

"폐하. 우선 좀 쉬시지요. 황후 폐하께서 멀리 가진 않으셨을 겁니다."

카를 후작이 소비에슈를 말렸다. 소비에슈에게 시간이 없단 걸 모르는 그는 황제가 이토록 다급하게 황후를 찾아다니는 모습이 영 이상하게 보이는 모양이었다.

소비에슈는 헐떡거리며 회중시계를 꺼냈다. 뚜껑을 열자 딱 한 시간이 남았다고 되어 있었다. 소비에슈는 시계를 품에 넣고서 눈을 질끈 감았다. 한 시간. 이제 단 한 시간 남았다. 나비에를 찾으러 어디로 갈지 신중하게 정해야 했다. 이번에도 찾지 못한다면 그가 마지막으로 본 나비에의 모습은 이번에도 뒷모습일 것이었다.

'나비에가 갈 곳……. 궁궐은 다 뒤져보았다. 별궁도 아니야. 그렇다면…….'

트로비 공작가.

소비에슈는 감았던 눈을 뜨고서 마구간으로 달려갔다. 검은 말을 탄 소비에슈는 빠른 속도로 트로비 공작가로 이동했고, 카를 후작과 근위기사 세 명도 영문을 모르고 뒤를 좇았다.

이후 카를 후작과 근위기사들이 트로비 공작가의 호위들에게 황궁에서 왔음을 알리고 소란 피울 게 없다고 달래는 사이. 소비에슈는 다급히 저택 문을 두드렸다. 밖으로 나온 집사는 소비에슈의 얼굴을 알아보고 눈이 커다래졌다.

소비에슈는 벽을 짚고서 집사에게 물었다.

"황후에게…… 황후가 왔느냐."

집사는 침을 꼴깍 삼켰다.

"죄송합니다, 폐하. 황후 폐하는 집에 계시지 않습니다."

그러고서 나온 대답은 그가 헛걸음을 한 거라 말하고 있었다. 소비에슈는 집사가 침을 삼킨 게 거짓말을 하기 위해서인지, 아니면 황제의 난데없는 등장에 놀라서인지 짐작해보았다. 소비에슈는 숨을 좀 더 고르고서 차분하게 말했다.

"나비에에게 '리드뢰 경이 왔다'고 전하라."

"예?"

당황한 표정의 집사에게 소비에슈는 아까 나비에를 찾다가 만약을 대비해 급히 적은 엽서를 건넸다.

"나비에가 여기에 없다면 책상에라도 놓거라."

집사가 안으로 들어가자 소비에슈는 터덜터덜 걸어가 나비에의 창문을 올려다볼 수 있는 곳으로 갔다. 소비에슈는 그의 시간대에서 그랬던 것처럼 하염없이 방 창문을 올려다보았다.

잔혹할 정도로 가차 없이 지나가는 시계의 초침 소리는 무서울 정도였다. 그러다 나비에의 방 창문 너머로 어른거리는 실루엣이 보이더니 창문 양옆이 열리며 나비에가 모습을 드러냈다. 소비에슈는 그녀를 한없이 올려다보다가 손을 위로 뻗어보았다.

회귀 전. 이곳에서 저 창문을 올려다보며 그녀를 밤새 기다린 걸 떠올리자 눈물이 나왔다. 그때 그는 후회뿐인 길을 가고 있었고, 나비에는 밝은 미래로 나아가고 있었다.

소비에슈는 겁이 났다. 그가 사라진 뒤 원래 이 시간대의 소비에슈가 나비에를 향한 지금 그의 마음과 후회를 그대로 가져갈까? 아니면 나비에와 아이, 모두를 움켜잡기 위해서 두 손을 뻗는 바보 같은 행보를 이어갈까.

그때. 그를 내려다보던 나비에가 창문을 닫았다. 커튼까지 내려지자 소비에슈는 시계를 보았다. 남은 시간은 6분. 이젠 돌아갈 수도 없었다. 소비에슈는 마지막까지 아까 눈을 마주한 그녀를 눈에 담고자 담벼락에 기대어 앉았다. 몸이 좋지 않은 상태에서 열 시간이 넘게 뛰어다닌 탓인지 숨이 가빴다. 소비에슈는 담벼락에 머리를 대고 눈을 감은 채 천천히 호흡을 골랐다. 시계 초침 소리는 그의 마지막을 알려주는 듯했다.

그때. 그사이에 섞여 인기척이 들려왔다. 눈을 뜨자 앞에 손수건이 내밀어져 있었다. 손수건을 따라 시선을 올리자 그걸 든 나비에가 보였다. 마치 그가 그녀를 잃고 본 환상 속에서처럼, 눈이 마주치자 나비에가 한숨을 내쉬고서 물었다.

"대체 여기서 뭐 하는 거예요? 내가 도망이라도 갔을까 봐 그래?"

소비에슈는 이게 환상인지 현실인지 잠시 구별이 되지 않아 멍하게 중얼거렸다.

"나비에……."

나비에는 눈살을 찌푸리고서 재차 말했다.

"일어나요. 폐하의 위엄을 지켜야 합니다."

소비에슈는 힘없이 웃으며 말했다.

"다리에 힘이 들어가지 않아, 나비에."

전에는 술을 너무 마셔서. 지금은 아픈 몸으로 너무 뛰어다녀서 다리를 움직일 수가 없었다.

회중시계는 참으로 친절하게도 앞으로 1분도 남지 않았다는 걸 더 커진 초침 소리로 알려주었다. 소비에슈는 나비에에게 손을 내밀며 웃었다.

"다리에 힘이 들어가지 않아, 나비에."

환상이 아니라 현실의 나비에가 마지막으로 그의 손을 잡아주기를 바랐다. 그러지 않겠지만.

"뭐 하는 거래?"

그 순간. 나비에가 황태자비 시절처럼 중얼거리더니 그를 흘겨보며 손을 내밀었다. 그 손이 그의 손에 닿는 순간. 소비에슈는 커졌던 회중시계의 초침 소리가 사라져서 눈을 커다랗게 떴다.

'이게……?'

왜 갑자기?

믿을 수 없어서 멍하게 서 있자니, 나비에가 잡은 손을 두어 번 당겼다.

"얼른 일어나요."

소비에슈는 천천히 눈을 떴다. 그가 침실에서 눈을 뜨면 가장 먼저 보이는 곳에는 나비에의 얼굴이 있었다. 소비에슈는 그 얼굴을 향해 손을 내밀었다. 그러자 나비에가 읽던 책을 덮더니, 어쩔 수 없다는 듯 그 손을 잡아주며 희미하게 웃었다.

"10년 전부터 폐하는 일어날 때마다 제 손을 꼭 잡으려 하는군요. 의미가 있는 행동인가요?"

평소처럼 서늘한 목소리였으나 그 안에 놀리는 기색이 있었다.

"있소."

소비에슈는 나비에의 손을 꼭 잡고서 그 손을 당겨 손등에 입을 맞추었다.

"아주 많이."

외전 끝

재혼 황후 외전

초판 1쇄 인쇄 2022년 12월 10일
초판 1쇄 발행 2022년 12월 30일

지은이 알파타르트
펴낸이 김문식 최민석
총괄 임승규
기획편집 박소호 김재원 이혜미
조연수 김지은 정혜인
디자인 배현정
제작 제이오

펴낸곳 (주)해피북스투유
출판등록 2016년 12월 12일 제2016-000343호
주소 서울시 성북구 종암로 63, 5층(종암동)
전화 02)336-1203
팩스 02)336-1209